SEJA HOMEM

TELMO MARTINELLO

SEJA HOMEM

UM HOMEM POSICIONADO CORRETAMENTE PODE MUDAR UMA GERAÇÃO

2ª EDIÇÃO

Vida

Editora Vida
Rua Conde de Sarzedas, 246 — Liberdade
CEP 01512-070 — São Paulo, SP
Tel.: 0 xx 11 2618 7000
atendimento@editoravida.com.br
www.editoravida.com.br
@editora_vida /editoravida

Editor responsável: Gisele Romão da Cruz
Editor-assistente: Aline Lisboa M. Canuto
Preparação: Jéssica Oliveira
Revisão de provas: Equipe Vida
Projeto gráfico: Marcelo Alves de Souza
Diagramação: Marcelo Alves de Souza
Capa: Tiago Bech

SEJA HOMEM

■

Exceto em caso de indicação em contrário, todas as citações bíblicas foram extraídas de *Nova Versão Internacional* (NVI) © 1993, 2000, 2011 by International Bible Society, edição publicada por Editora Vida. Todos os direitos reservados.

Todas as citações bíblicas e de terceiros foram adaptadas segundo o Acordo Ortográfico da Língua Portuguesa, assinado em 1990, em vigor desde janeiro de 2009.

■

As opiniões expressas nesta obra refletem o ponto de vista de seus autores e não são necessariamente equivalentes às da Editora Vida ou de sua equipe editorial.

Os nomes das pessoas citadas na obra foram alterados nos casos em que poderia surgir alguma situação embaraçosa.

Todos os grifos são do autor, exceto indicação em contrário.

1. edição: 2021
2. edição rev. e atual.: jan. 2023
1ª reimp.: mar. 2023
2ª reimp.: set. 2023

Dados Internacionais de Catalogação na Publicação (CIP)
(Câmara Brasileira do Livro, SP, Brasil)

Martinello, Telmo
Seja homem : um homem posicionado corretamente pode mudar uma geração / Telmo Martinello. -- 2. ed. -- São Paulo : Editora Vida, 2023.

ISBN 978-65-5584-345-3
e-ISBN: 978-65-5584-344-6

1. Bíblia - Ensinamentos 2. Cristianismo 3. Escrituras cristãs 4. Homens - Comportamento 5. Homens - Conduta de vida 6. Homem (Teologia cristã) - Ensino bíblico I. Título.

22-133578 CDD-220.92081

Índices para catálogo sistemático:
1. Homens : Ensino bíblico : Teologia cristã
Aline Graziele Benitez - Bibliotecária - CRB-1/3129

“Crescer dói, mas existe uma herança reservada para aqueles que crescem, que suportam os processos e alcançam a maturidade. A decisão de amadurecer vai doer, mas a recompensa da maturidade valerá a dor do processo.”

TELMO MARTINELLO

AGRADECIMENTOS

À minha amada esposa Viviane e às minhas preciosas filhas, Vitória e Isabela, por me encorajarem a me tornar um marido e um pai cada vez melhor.

À Abba Pai Church, por ser uma família na qual posso ser eu mesmo e desenvolver um pastoreio saudável.

Ao presbitério da Abba Pai Church, que tem estado ombreando lado a lado com fidelidade e honra, nessa nobre vocação de governar a igreja do nosso Senhor.

Aos meus pastores e mentores, Judson e April, Luiz Hermínio e Iraci, Jucélio e Lulu. Vocês foram e continuam sendo inspiração, referências e amigos.

Ao meu pai, Paulo, e minha mãe, Iolanda Martinello *(in memorian)*, por serem responsáveis por grande parte de quem sou.

OBRIGADO!

SUMÁRIO

INTRODUÇÃO

Não há dúvidas de que existe uma crise generalizada entre os homens da nossa geração. Crise moral, crise de identidade, crise de hombridade, crise de honra, crise de maturidade, crise de responsabilidade e crise de fé. As razões são muitas: paternidade doente ou ausente, desvinculação da correção do amor, ausência de limites, falência da família e perda de valores morais e princípios cristãos.

A Bíblia não coloca o homem em posição superior à da mulher, mas sim em função diferente. Função não expressa valor, mas funcionamento. Assim como o mau funcionamento de uma peça na engrenagem pode danificar todo o motor, invalidando o propósito do carro, quando o homem não sabe sua posição, não funcionará corretamente, trazendo danos a toda sociedade.

Um homem posicionado correta e habilmente pode mudar toda uma geração, assim como um homem disfuncional pode comprometer toda uma geração.

O propósito deste livro não é responder a todas as questões de ser homem, pois seria presunção, mas trazer à tona alguns valores, princípios e verdades que podem ajudar no resgate, na restauração e construção desse nobre e divino chamado de ser homem.

Seja homem é uma bandeira erguida em meio a uma guerra cultural, ideológica e moral, em que o desequilíbrio entre o machismo e o passivismo tenta ganhar território. *Seja homem* é uma convocação para a guerra na qual meninos não podem se alistar. *Seja homem* é um corte entre a chupeta e a espada. *Seja homem* é um encorajamento aos homens que Deus quer levantar, curar, reposicionar e fazer vencer as guerras necessárias para que a família, a igreja e a sociedade possam caminhar e crescer de forma equilibrada, sóbria e saudável.

Minha oração é para que sejamos os homens que Deus nos chamou para ser.

ACABE COM ACABE

Acabe foi um dos reis da história de Israel. Segundo as Escrituras, ele foi um dos piores reis que a nação teve como governante, pois, até o seu reinado, não existiu outra liderança tão caótica quanto a sua. Quando lemos sobre a sua vida, seu governo e a sua história, podemos pontuar características que revelam quem ele foi, conhecer seus feitos e identificar tudo aquilo que não devemos repetir em nossa vida.

> Algum tempo depois houve um incidente envolvendo uma vinha que pertencia a Nabote, de Jezreel. A vinha ficava em Jezreel, ao lado do palácio de Acabe, rei de Samaria. Acabe tinha dito a Nabote: "Dê-me a sua vinha para eu usar como horta, já que fica ao lado do meu palácio. Em troca eu lhe darei uma vinha melhor ou, se preferir, eu lhe pagarei, seja qual for o seu valor". Nabote, contudo, respondeu: "O SENHOR me livre de dar a ti a herança dos meus pais!" Então Acabe foi para casa, aborrecido e indignado porque Nabote, de Jezreel, lhe dissera: "Não te darei a herança dos meus pais". Deitou-se na cama, virou o rosto para a parede e recusou-se a comer. Sua mulher Jezabel entrou e lhe perguntou: "Por que você está tão aborrecido? Por que não come?" Ele respondeu-lhe: "Porque eu disse a Nabote, de Jezreel: Venda-me a sua vinha; ou, se preferir, eu lhe darei outra vinha em lugar dessa. Mas ele disse: 'Não te darei minha vinha' ". Disse-lhe Jezabel, sua mulher: "É assim que você age como rei

> de Israel. Levante-se e coma! Anime-se. Conseguirei para você a vinha de Nabote, de Jezreel". Então ela escreveu cartas em nome de Acabe, pôs nelas o selo do rei, e as enviou às autoridades e aos nobres da cidade de Nabote (1Reis 21.1-8).

Quando conhecemos a história de Acabe, ou pontuamos alguns aspectos de sua vida, identificamos diversos fatos aos quais precisamos estar atentos.

Acabe era casado com Jezabel, um casal bastante conhecido no meio cristão. Jezabel costuma ser vista como a pior figura de mulher no Antigo Testamento. Rainha, esposa do rei Acabe, ela era de origem siro-fenícia, nascida na cidade de Tiro/Sidom. Uma mulher forte, dominadora, conhecida principalmente por ser má e perversa. Além de trazer para Israel práticas pagãs que desagradavam a Deus, perseguir os profetas, promover a idolatria, e obrigar seu marido a adorar outro deus, sustentava 850 profetas dos deuses Baal e Aserá.

Jezabel é comumente relacionada a uma mulher briguenta, mandona e, muitas vezes, reconhecida em alguns conflitos entre marido e mulher. É uma figura que se levanta contra o homem, contra uma autoridade, é uma pessoa maldizente e manipuladora. Mas o que precisamos compreender é que as características de Jezabel eram tão destrutivas que, atualmente, não são utilizadas necessariamente para definir um tipo de mulher, mas sim um espírito, pois seu nome foi adotado para designar um espírito maligno, cujo objetivo é destruir autoridades, famílias e igrejas inteiras.

Uma das sete igrejas descritas em Apocalipse foi corrigida por tolerar Jezabel, ou seja, por permitir a ação de um espírito de manipulação, domínio e afronta. Jezabel também pode ser um homem, pode ser alguém que se levanta contra uma autoridade para roubar o lugar ou a posição dessa liderança. Um homem pode tentar roubar a liderança ou autoridade de outro homem; então, não tratamos aqui de uma figura feminina, mas de um espírito manipulador.

Jezabel foi a mulher com quem Acabe decidiu se casar e, pelo curso desse casamento, podemos reforçar a importância daqueles que estão solteiros avaliarem bem as suas escolhas, pois, da aliança de Acabe com Jezabel, muitas práticas pagãs começaram a ser realidade em Israel. É importante que os solteiros ponderem, reflitam e observem se a pessoa com quem pretendem casar partilham a mesma fé, a mesma missão, o mesmo propósito, o mesmo coração, o mesmo Deus, pois muitos sofrem as consequências das suas escolhas por não avaliarem corretamente a pessoa escolhida.

A realidade é que Jezabel só aparece onde existe um Acabe, ela só cresce onde um Acabe permite. Acabe é a representação de uma pessoa fraca, cuja fragilidade o torna em alguém facilmente dominado, manipulado. Acabe apresenta algumas características que precisamos observar e que não podemos tolerar em nossa própria vida para não corrermos o risco de vivermos como reis falidos, que conduzem seu "Israel pessoal" à falência, ao fracasso e à depravação moral.

O pior fracasso humano é termos sucesso nas coisas que Deus não aprova. Quando alcançamos sucesso naquilo para o qual não fomos chamados, fracassamos. A maior virtude de um homem é ser bem-sucedido no que Deus o chamou. Se Deus nos chamou para sermos pais, e nos deu filhos, é porque deseja que tenhamos sucesso como pais. Se ele nos deu esposa, espera que tenhamos sucesso como marido; ou, se recebemos dele um ministério, é porque ele deseja que tenhamos sucesso no ministério que nos foi confiado.

Geralmente, numa perspectiva mundana e capitalista, sucesso é vinculado ao dinheiro. Mas, na perspectiva do Reino, sucesso é relacionado ao alinhamento, assim como a prosperidade descrita em Salmos 1 significa estar alinhado com o céu.

Muitos homens vivem como Acabe, e, para que a transformação deles aconteça, Deus permite algumas crises em suas vidas, pois crises e correções são bênçãos para nós. Em meio às adversidades, Deus tem a oportunidade de mudar o homem de dento para fora. Às vezes, a única maneira para Deus transformar o nosso coração é permitindo que elas nos cerquem. Não gostamos da correção, mas ela é bênção, é algo importante para manter os nossos pés no caminho da obediência e livrá-los do caminho mau.

As crises são ferramentas de Deus para que muitos homens deixem de viver suas vidas como Acabe, pois, se pudéssemos ver o mais íntimo do coração, veríamos que nenhuma mulher deseja ser Jezabel, mas se torna Jezabel porque existe um Acabe.

Jezabel cresce em ambientes em que os homens não desempenham suas funções. Acabe era rei de Israel, não era qualquer um. Mas o texto relata um momento em que ele desejou o terreno de Nabote para fazer uma horta, e, por ser uma herança, algo que possuía muito mais que valor financeiro, Nabote não aceitou a proposta do rei. Após esse episódio, Acabe voltou para casa indignado. E aqui aprendemos algo: nunca devemos levar para casa os problemas, conflitos e as decepções pessoais.

Não podemos levar para dentro da nossa casa os conflitos externos, devemos ser os protetores do nosso lar, não entregadores de frustrações, homens que levam problemas para a família. Nosso papel é proteger a nossa esposa, pois elas são mais frágeis, e privar os nossos filhos de questões ou informações que eles não precisam ter conhecimento. Alguns homens, quando estão em conflito ou não gostam dos seus líderes, levam suas frustrações ou desgostos em relação aos seus pastores para dentro das suas casas, fazendo que os filhos cresçam ouvindo palavras negativas sobre a igreja e, no futuro, não tenham nenhuma vontade de colocar os pés em uma.

Precisamos ser absorvedores de impactos, não propagadores de caos; homens que recebem o impacto da cruz, mas derramam graça. Não podemos agir como Acabe, que levou a sua indignação para casa, derramou seu conflito interno sobre sua esposa, tendo um comportamento infantil resultante do seu sentimento de contrariedade por não ter obtido aquilo que desejava.

Jesus, mesmo na cruz, destilou perdão, não violência. Ele não destilou a dor de ser crucificado; antes, derramou o perdão sobre aqueles que o feriram. Ainda que soframos acusações, feridas e tantas situações adversas na rua, nosso lar é onde só podemos destilar amor, graça e alegria. Mesmo que os nossos dias sejam terríveis, escuros e sombrios, não podemos levar o efeito deles para a nossa família.

Temos a responsabilidade de proteger a nossa família, pois nossos filhos e esposas não possuem estrutura para receber o peso ou o impacto daquilo que enfrentamos ou recebemos lá fora. Precisamos protegê-los.

No exército existe um princípio de liderança muito forte, do qual o líder é aquele que recebe a pancada do comandante, absorve o impacto, mas não transfere aos seus liderados, passando para eles apenas o necessário e de maneira amortecida. Enquanto imitadores de Jesus e homens de Deus, temos o dever de aceitar a dor da cruz, mas destilando amor e graça, pois o verdadeiro líder assume-a, mas libera a graça.

Acabe ficou chateado, triste e aborrecido por não ter tido sucesso na compra da vinha. Faltou-lhe hombridade. Acabes são homens sem atitude, homens que ficam "bravinhos" com os nãos que a vida oferece.

Alguns índices revelam que a maior frequência dos casos de suicídio no Brasil está entre homens de 18 a 25 anos e, na maioria das vezes, a causa alegada é a decepção amorosa. Homens que não sabem lidar com as decepções, desilusões ou dificuldades da vida e, quando se deparam com a dor, não possuem estrutura para enfrentá-la. Muitos pais estão criando Acabes, transformado seus filhos em homens fracos, despreparados para a vida, porque não sabem dizer não a eles.

Acabes são homens que nunca receberam "não" dos pais, cuidadores ou responsáveis, homens que agem como "reizinhos" e pensam que todas as suas vontades devem ser satisfeitas. Homens de Deus sabem ouvir "não" e voltam para casa sem se lamentar das negativas. Homens de verdade sabem receber e aceitar os nãos que a vida oferece.

Acabe não soube receber um "não", tendo uma reação negativa diante da frustração de não receber o que esperava. Acabes são homens egoístas, que só pensam em si mesmos e não agem com misericórdia, pois o terreno de Nabote era uma herança familiar, possuía valor financeiro, mas também sentimental, e, mesmo assim, Acabe não considerou ou se preocupou com isso, e a prova é que Jezabel mandou matar Nabote com o consentimento do rei.

Ao deitar-se em sua cama após ser contrariado, Acabe revela mais uma faceta de homens: acomodados. Acabe era acomodado, e representa homens assim, acomodados, preguiçosos, procrastinadores, sem firmeza, que não são diligentes e colocam sobre a esposa o peso das coisas que eles deveriam estar fazendo. Acabes são preguiçosos, e toda preguiça revela a existência de um Acabe.

"Procrastinação" é uma palavra que está sendo bastante usada em nossos dias, mas é algo que devemos encarar com seriedade, pois, onde há procrastinação, existem condições perfeitas para que Jezabel cresça e estabeleça domínio. Com tantas coisas para resolver, governando uma grande nação, tendo um povo enorme sob seus cuidados, Acabe simplesmente decide ir para cama; ficou magoado e foi dormir.

Não podemos ser vencidos pela preguiça. Certa vez, minha esposa ministrou uma Palavra para as mulheres, e o cerne da Palavra era que toda preguiça só pode ser vencida com uma atitude. Às vezes, tudo que precisamos é uma atitude, uma postura diligente, uma atitude que nos faça romper com a preguiça, scja cla qual for.

Uma das lições mais significativas que recebi do meu pai, e foi fundamental para que eu não fosse hoje um Acabe, foi ele ter me dado uma enxada quando eu, aos 12 anos de idade, pedi a ele um "dinheirinho". Ele me deu a enxada dizendo: "está aqui, filho". Os vizinhos pagavam uma quantia mínima por cada espaço capinado, e, com isso, meu pai estava estabelecendo um princípio em meu caráter: não tenha preguiça, vá trabalhar!

Alguns homens querem emprego, mas não querem trabalho; por isso, precisamos vencer a preguiça, o comodismo e a procrastinação. Muitos precisam pintar a casa, trocar a lâmpada, cortar a grama do quintal, fazer as coisas que sempre deixam para um amanhã que nunca chega. A diligência e a preguiça não combinam, não são compatíveis; precisamos escolher ser diligentes, pois Acabes são preguiçosos.

A outra atitude de Acabe foi virar-se para a parede. Uma atitude que denota fraqueza, postura de homens que não encaram o inimigo nos olhos, não assumem suas posições, não enfrentam as situações, fingem não ver os fatos. Quantos pais veem os filhos entrar em um caminho de perdição e se omitem diante disso? Quantos homens percebem que seu casamento está perdido, fracassando, que a casa está caindo, mas não têm a coragem de enfrentar a verdade com as suas esposas, buscar ajuda e tentar salvar seu lar? Homens que não têm humildade para se prostrar diante de Deus e reconhecer que não são os homens que deveriam ser, buscando transformação nele.

Acabes são homens hipnotizados pelo celular, pela televisão, pelo videogame, enquanto o Diabo enreda suas esposas e seus filhos. No gabinete pastoral, a maioria dos homens são atendidos após perderem a família. Depois de um pouco de conversa, revelam que eram Acabes, que deixaram esposas e filhos à deriva. Por agirem como Acabe, como homens enfraquecidos, suas famílias foram destruídas.

A Bíblia fala que tanto o homem quanto a mulher vieram de Deus, mas a esposa veio do homem, pois Deus a criou a partir da formação do homem.

Na área dos negócios não é diferente; pois, enquanto alguns dormem em frente à televisão, hipnotizados, sem diligência, os concorrentes se esmeram e voam, conquistando o mercado que deveria ser deles. Acabes são homens passivos, que não se envolvem ou assumem as suas responsabilidades, alheios aos que estão ao seu redor.

Outra postura de Acabe representa homens que são birrentos, teimosos e carentes, são homens que querem chamar a atenção do ser humano, não de Deus. Ele ficou tão contrariado, tão desgostoso com a situação, que não quis comer, recusou a sua refeição na tentativa de chamar a atenção da sua esposa. Existe algo que diferencia homens de Deus de homens que são como Acabe: homens de Deus jejuam, Acabes não comem. Há uma diferença enorme entre não comer e jejuar; pois, enquanto Acabes recusam refeições para chamar a atenção de seres humanos, homens de Deus jejuam para alcançar o favor do Senhor, estabelecendo períodos de jejum secreto, pois são os que a Bíblia diz que o Senhor vê.

Acabes não assumem seu reinado. A própria Jezabel confrontou o marido ao vê-lo agir daquela maneira, dizendo: "É assim que você age como rei de Israel?". Suas palavras confrontavam Acabe, pois revelavam tudo o que ele deveria ser, mas não estava sendo. Assim como Jezabel questiona o comportamento do seu marido e rei, tudo o que a maioria das mulheres quer é que seus maridos sejam homens, e o desejo delas revela que muitos estão fracassando.

Nossos filhos e esposas esperam apenas que sejamos protetores, provedores; que enfrentam e vencem as guerras na rua, mas estabelecem paz no lar. Alguns homens são tão omissos que estabelecem nos filhos memória de pais ausentes, de mulheres fortes e homens fracos, e eles crescem reconhecendo Jezabel nas mães e Acabe nos pais. Na ausência dos pais, os meninos crescem e tornam-se homens sem identidade. Culpamos o Diabo pelo crescimento da homossexualidade, pelos homens que não se sentem homens, mas foi a ausência do pai e a postura da mulher forte a motivação, pois as disfunções no lar resultam em famílias destruídas.

Deus tem uma unção de reposicionamento para os nossos dias. Ele deseja nos reposicionar, tirar alguns homens, da acomodação e devolvê-los para sua posição de governo. O Senhor anseia desvirar o rosto de muitos de nós da parede, para que vejamos os problemas e façamos o que for preciso para resolvê-los.

A mensagem de Deus para nós nesses dias é a *pregação de Jezabel*: "É assim que você age como rei de Israel?". As palavras de Jezabel para seu marido definem o sermão: "É assim que um rei age? É assim que um pai faz? É essa a postura de um marido?".

Os versos revelam que Acabe ficou em silêncio. Então, Jezabel se levantou e assumiu a posição, e, em seu nome, usando o seu anel de autoridade, enviou cartas pelo reino dando as coordenadas. Com a atitude de Jezabel, aprendemos que sempre que um homem não se posiciona, perde a sua autoridade para Jezabel.

Quando o homem não se posiciona, Jezabel assume a sua autoridade, assume a casa, o reinado e a posição O grande problema é que ela não tinha estrutura para o governo, pois Deus não a havia chamado para isso. Então, as portas do reino ficaram abertas para o Inimigo, pois a estrutura estava quebrada. Muitas esposas, mulheres guerreiras, estão assumindo a posição dos seus maridos e fazendo aquilo que podem, mas de forma ineficiente, pois não foram chamadas para isso, e, por essa razão, muitos lares estão desprotegidos.

Um Acabe fora da sua posição dá autoridade para demônios e para Jezabel usarem a sua autoridade para provocar morte, destruição e mazelas terríveis.

Quando analisamos todas essas características evidentes na vida de Acabe, reconhecemos a urgência e a necessidade de acabarmos com Acabe. Entretanto, como podemos fazer isso? Essa é uma pergunta para a qual você talvez já tenha obtido a resposta durante esta leitura, mas é importante salientarmos e resumirmos alguns aspectos.

Para acabar com Acabe, devemos ser protetores, não podemos levar guerras externas para dentro da nossa casa. Precisamos ser homens que absorvem impactos, pancadas e críticas sem repassar aos que estão sob o nosso cuidado.

Acabar com Acabe depende da nossa capacidade em receber um "não", em suportar afrontas e saber lidar com elas, de ser diligentes, de nos levantar da cama e não ser acomodados.

Acabamos com Acabe quando somos responsáveis, quando enfrentamos os nossos problemas e não fingimos que eles não existem, quando somos cristãos verdadeiros, jejuamos para alcançar o favor de Deus e não para chamar a atenção dos homens.

E, por último, para acabar com Acabe, precisamos assumir o nosso lugar de rei, compreender que somos sacerdotes do nosso lar, provedores da nossa família, pais dos nossos filhos, maridos, pois recebemos autoridade dada por Deus para ocupar essa posição, e devemos agir como esse lugar exige.

Homens de Deus não choram para Jezabel, choram para Deus; não viram o rosto para a parede, mas se prostram diante de Deus e voltam seus olhos para ele.

“Deus tem uma unção de
reposicionamento para os
nossos dias. Ele deseja nos
reposicionar, tirar alguns homens,
da acomodação e devolvê-los
para sua posição de governo.”

TELMO MARTINELLO

CRESCER DÓI

A maturidade é um dos aspectos mais importantes do crescimento, algo que não tem a ver necessariamente com a idade, apesar de ela contribuir para o nosso amadurecimento e de existirem coisas que só a idade pode nos proporcionar. É interessante que, ao observarmos as Escrituras, a maioria dos homens de Deus cumpriram seu ministério e chamado após os 40 anos. Até mesmo Jesus teve um tempo e uma idade para exercer seu ministério, aos 30 anos.

Percebemos, então, que um tempo ou determinada idade são, naturalmente, necessários. Não é por acaso que o exército recruta jovens aos 18 anos e não aos 15, pois uma pessoa é considerada mais madura quando alcança 18 anos de idade, assim como alguns direitos e deveres são adquiridos ou exigidos em determinados ciclos da vida.

Estamos cientes de que a maturidade não vem necessariamente com a idade, prova disso é a diversidade de adultos infantilizados que encontramos hoje; homens com mais de 40 anos que não assumem suas responsabilidades, que estão jogando videogame, chateados porque alguém bloqueou ou excluiu sua conta do Facebook, que vivem presos ou preocupados com "coisinhas" porque serem imaturos. Muitas vezes, conversamos com homens que parecem mais crianças do que adultos, pois possuem idade, mas não assumem sua posição ou sequer têm atitudes maduras.

A Bíblia ilustra muitas situações e muitos exemplos pelos quais identificamos o desejo e o propósito de Deus para que sejamos maduros. Sabemos que todos que aceitaram a Jesus como Salvador de suas vidas receberam também o poder de se tornarem filhos de Deus, mas precisamos compreender que a palavra "filho", no original, tem uma conotação de nascido, representa uma criança que nasceu. Entretanto, quando o filho cresce, a expressão ou palavra usada para designá-lo é outra. Dentre algumas expressões para filhos, a segunda expressão mais usada significa ou aponta para alguém que nasceu de novo, significa o filho maduro.

Acreditamos que, ao entregarmos a vida para Cristo, nascemos de novo e nos tornamos filhos de Deus, e isso é maravilhoso. Contudo, a minha filha de 7 anos é igual e, ao mesmo tempo, diferente da filha que já chegou aos 18 anos. São iguais porque ambas possuem a herança, pois, sendo filhas, são herdeiras, mas terão que atingir uma certa idade ou maturidade para que possam desfrutar dessa herança. É a maturidade que as diferencia.

A maturidade é imprescindível para chegarmos a alguns lugares que Deus tem para nós, pois nos tornarmos filhos nos dá o direito à herança, mas apenas ao vivermos como filhos poderemos desfrutá-la. Apenas quando vivemos e andamos como filhos, desfrutamos da herança, pois ser filho é uma coisa, viver como filho é outra. Como filhos, temos as bênçãos de Deus sobre nós, mas somente quando andamos ou temos a postura de filho que honra o Pai desfrutamos das bênçãos.

Deus jamais construirá algo público em nossa vida antes de ter certeza de que o nosso fundamento está pronto. Para exemplificar, eu não colocaria a minha filha de 4 anos no segundo ano do ensino médio, e não é porque não a amo ou não quero que ela alcance este lugar, mas porque ela não tem o fundamento, ainda não trilhou as etapas anteriores ao ensino médio. Existe um processo que precisa ser respeitado. Semelhantemente, seria loucura permitir que uma criança de 8 anos dirija um carro, mesmo sendo um filho ou herdeiro daquele bem. Ele não tem maturidade para usufruir daquela herança. Mesmo sendo simples, esses exemplos representam perfeitamente o processo de Deus em nossa vida, pois ele trabalha de forma distinta em cada história.

> Porque todos os que são guiados pelo Espírito de Deus são filhos de Deus (Romanos 8.14).

Todos os que são guiados pelo Espírito de Deus são filhos de Deus. Nesse texto, a palavra usada para "filhos" é aquela que indica filho maduro. Com isso, Deus está nos dizendo que todos aqueles que são guiados pelo Espírito Santo são filhos maduros. Muitos nascem de novo, mas não vivem como filhos maduros, pois não se deixam guiar pelo Espírito. Uma coisa é nascermos do Espírito, outra é sermos guiados por ele.

Quantos nasceram do Espírito, passaram pelo batismo, estão regularmente na igreja, mas não mudaram as suas práticas? Quando somos filhos maduros, somos guiados pelo Espírito, não pela carne. Muitos estão na igreja, mas não se deixam guiar pelo Espírito. Existem situações em que percebemos o quanto dependemos de Deus e o quanto precisamos ser guiados por ele; mas, na maioria delas, o nosso orgulho não necessariamente reflete sobre quem está guiando a nossa vida: alma, emoções, vontades ou o Senhor?

Deus deseja nos levar para um lugar de maturidade. Ser maduro é ser guiado pelo Espírito. A maturidade nos faz ser aqueles que descem, que cedem primeiro, que abandonam as disputas infantis. Contudo, não raramente, nos vemos brigando por coisas que não deveríamos brigar, e isso atrasa a liberação de muitas coisas que o Senhor tem para a nossa vida, mas que não serão realidade enquanto estivermos envolvidos em brigas e disputas infantis.

Deus tem ministérios para nós, mas nos preocupamos com o ministério do outro. Ele deseja usar a nossa vida em seus propósitos, mas estamos ocupados nos preocupando porque o outro está sendo usado. Isso é imaturidade; pois, quando somos maduros sabemos que aquilo que Deus nos deu é nosso, e as coisas que ele não nos deu não nos pertencem e não precisamos brigar por elas.

Muitas vezes, as nossas reações revelam a imaturidade escondida em nós, pois filhos maduros não são reativos, são ativos. Eles não reagem, mas agem; são intercessores, não se comportam apenas como pedintes, como crianças que vivem pedindo para si. Filhos imaturos são aqueles que só pensam neles, mas os filhos maduros estão dentro do processo, sempre disponíveis para trabalhar com o Pai em benefício do outro.

Enquanto o filho imaturo só pensa nele, é egoísta e sua postura é de pedir e receber somente para si mesmo, o filho maduro apresenta suas necessidades ao Pai, mas não deixa de pensar, buscar e interceder por alguém. A maturidade não nos permite olhar somente para nós mesmos, ela nos faz olhar para o lado, enxergar e fazer algo por aquele que precisa.

Precisamos de filhos como Miriã, irmãos em Cristo com a mesma postura e atitude que ela teve com seu irmão, Moisés.

A Bíblia relata que, quando Moisés foi lançado às águas, Miriã foi acompanhando o irmão de longe, observando o percurso daquele cesto pelo rio, até chegar às mãos da filha de faraó e, somente depois de oferecer sua mãe como ama, foi para casa. Precisamos de pessoas que não olham apenas para si, mas que veem o outro, pessoas que se preocupam com os irmãos. Muitas vezes caminhamos com as pessoas e não sabemos aquilo que elas estão enfrentando. Na maioria das vezes, o que elas precisam é muito maior do que estamos pedindo para nós.

A maturidade nos leva a olharmos para o lado e não sermos somente filhos pedintes. Filhos maduros são aqueles experimentados, provados, colocados para fazer escolhas; pois, quando somos provados, amadurecemos.

Ao observar a natureza, aprendemos muito. Assim como o calor e muitos aspectos da natureza influenciam no amadurecimento de alguns frutos, as provações que enfrentamos nos traz amadurecimento.

A pressão e o calor das provações nos proporcionam amadurecimento. Amadurecemos quando somos provados: quando somos traídos e temos de perdoar; quando somos prejudicados e ainda temos de orar por quem nos causou danos; quando erramos e temos de reconhecer e reparar os nossos erros.

Deus deseja que sejamos filhos maduros, e eu acredito que, por essa razão, ele permite que sejamos lançados no fogo das provações para que possamos alcançar a maturidade e entrar em lugares que ele deseja nos dar acesso. Muitas vezes, o desejo e propósito do Pai é nos colocar à frente de batalhas; mas, enquanto não deixarmos o videogame e empenharmos armas, ele não poderá fazer isso.

A vontade de Deus é levantar e estabelecer os homens como líderes de intercessão na igreja, como sacerdotes em seus lares, mas ele não poderá fazer isso enquanto brincarmos, fugirmos dos processos, rejeitarmos as provas pelas quais poderíamos amadurecer. O Senhor quer nos dar autoridade, mas não fará isso até que sejamos homens e filhos maduros. Ele se alegra com a nossa maturidade:

> Não tenho alegria maior do que ouvir que meus filhos estão andando na verdade (3João 1.4).

O coração de um pai se alegra ao saber que seus filhos procedem bem. No texto citado, mais uma vez a palavra usada para "filhos" é a que indica filho maduro, pois apenas aqueles que amadureceram andam na verdade.

> Quem se alimenta de leite ainda é criança, e não tem experiência no ensino da justiça. Mas o alimento sólido é para os adultos, os quais, pelo exercício constante, tornaram-se aptos para discernir tanto o bem quanto o mal (Hebreus 5.13,14).

Podemos perceber que o alimento sólido é para os adultos, mas o fator que diferencia o adulto da criança é a prática. O exercício constante e a prática do ensino diferencia filhos maduros de imaturos. O filho maduro é aquele que assume responsabilidades, que conhece seu papel e seus deveres. Algumas pessoas costumam dizer que conhecemos um homem pelo molho de chaves que ele carrega; pois, quanto mais maduros somos, mais acesso teremos, porque é a responsabilidade de um homem que faz portas se abrirem para ele.

Deus tem portas e lugares para abrir diante de nós, mas algumas chaves não serão colocadas em nossas mãos enquanto tivermos atitude de menino. Existem chaves que só nos serão dadas quando formos responsáveis, fiéis e excelentes naquilo que já nos foi confiado.

Gosto muito da palavra "diligência", pois ela significa zelo, cuidado, aplicação, esmero, dedicação, interesse, fazer cuidadosamente aquilo que precisa ser feito. É não deixar para amanhã, é o oposto da procrastinação. Diligência é fazer, é ser prático, é exercer a faculdade que nos foi dada, e é para aqueles que são diligentes que o alimento é sólido, para aqueles que não são preguiçosos é que Deus entrega as chaves. A diligência nos faz confiáveis, permite que tenhamos acesso a lugares específicos e nos destaca.

Muitos estão requerendo direitos que não possuem. Existe um tipo de fé inconsequente e é disseminada em muitos lugares. Nesse tipo de crença, as pessoas "vão à igreja e seus problemas são resolvidos" ou não precisam ser diligentes para alcançar bons resultados. Muitos não acordam cedo, não trabalham, não são responsáveis, não estudam ou se capacitam, pensando que Deus vai fazer todo trabalho por eles. Essa fé inconsequente não é bíblica, pois a fé bíblica diz que, ainda que a capacitação venha do alto, a edificação é responsabilidade nossa. Deus quer nos levar a lugares maravilhosos, mas primeiro anseia que sejamos homens maduros.

Podemos conceituar a maturidade como a junção das orações de domingo com as decisões de segunda-feira, pois não basta orarmos no domingo se não decidirmos corretamente na manhã seguinte. Aos domingos, levantamos as mãos em oração, mas é na segunda que decidimos onde as colocaremos;

aos domingos, lemos as letras das canções no telão, mas no dia seguinte decidimos para onde olharemos; no domingo, cantamos louvores, mas na segunda decidimos o que vamos ouvir no rádio do nosso carro.

Precisamos ser homens preocupados com aquilo que Deus colocou em nossas mãos para ser feito. O que ele confiou a nós? Qual é a nossa responsabilidade? Aquilo que ele nos confiou é o que devemos realizar. Não podemos perder tempo olhando para aquilo que Deus confiou a quem está ao nosso redor, comparando a nossa condição ou responsabilidade com os demais, disputando uns com os outros.

A maturidade nos faz compreender que não fomos chamados para julgar, mas para amar as pessoas, pois quem convence os homens acerca do pecado não somos nós, mas sim o Espírito Santo. É ele quem convencerá o pecador do pecado, da justiça e do juízo.

Filhos maduros não precisam de cerca, de medos ou imposições, pois a maturidade implica saber fazer escolhas. Descobrimos os filhos maduros proporcionando a liberdade para eles.

Por mais que estejamos adorando juntos aos domingos, as escolhas da manhã seguinte serão nossas, e devemos estar cientes que, para cada escolha, existe uma consequência com a qual teremos de lidar.

Devemos fazer aquilo que Deus nos chamou para fazer. Se Deus nos chamou para sermos pais, filhos, maridos, empresários, políticos, pastores, missionários, devemos ser quem ele nos criou para ser e fazer com excelência, diligência e responsabilidade aquilo para o qual fomos criados. Só poderemos acessar determinados lugares em Deus por meio da obediência. É a maturidade que nos habilita a herdar tesouros espirituais e naturais. Assim como uma criança, embora herdeira, não pode desfrutar da herança até chegar à idade apropriada; podemos ser herdeiros, mas somente a maturidade vai nos permitir acessar a herança.

Existem heranças em Cristo preparadas para nós, mas a maturidade é chave para acessá-las, e maturidade é obediência. Lamentavelmente, podemos viver a vida inteira como filhos e não desfrutarmos da herança.

Por trás de grandes homens e mulheres de Deus, existe muita obediência, renúncia, prática e perdão. E por trás de grandes heranças, existem filhos maduros. José só pôde viver os sonhos de Deus para sua vida porque amadureceu. Para herdar o lugar, a posição e viver o propósito, foi necessário amadurecer.

José precisou alcançar maturidade o bastante para perdoar os irmãos que o venderam como escravo, que o privaram de conviver com a família, e por todos os danos que sabemos que ele sofreu. A Bíblia relata que o choro dele foi ouvido por todo o Egito, pois sua alma estava gritando; mas, por ser maduro, não deixou a sua alma vencer e conseguiu perdoar seus irmãos. A maturidade de José permitiu que ele, por meio do perdão, garantisse a sobrevivência da sua família. Assim, quando somos filhos maduros, conseguimos perdoar e servir aqueles que um dia nos venderam. Deus deseja levantar muitos governadores em nosso meio; mas, para isso, precisamos amadurecer.

Crescer dói, mas existe uma herança reservada para aqueles que cresceram, que suportaram os processos e alcançaram a maturidade. A decisão de amadurecer vai doer, mas a recompensa valerá a dor do processo.

O processo de amadurecimento vem por meio de pequenas e grandes atitudes de obediência, submissão às disciplinas do Pai, responsabilidades e consequências assumidas. Ainda que doa, minha oração é para que sejamos homens que acessam toda a herança que Deus reservou para nós, para que nos tornemos filhos maduros que andam na verdade e alegram o coração do Pai.

> Deus deseja que
> desenvolvamos maturidade.
> Ser maduro é ser guiado
> pelo Espírito.

TELMO MARTINELLO

DECIDA

É raro, no contexto atual e cultural em que vivemos, encontrar homens decididos, com hombridade, que não ficam alheios aos eventos que acontecem ao seu redor. Mais do que nunca, percebemos a necessidade de homens que tomem decisões e assumam suas responsabilidades; pois, quando isso não acontece, as consequências da omissão ou desgoverno são perceptíveis e, às vezes, irreparáveis.

O lugar da decisão nunca foi um lugar fácil, mas é um lugar necessário, pois espera-se daquele que está numa posição de governo, em qualquer esfera da sociedade, a tomada de decisões concernentes a posição ocupada por ele. Então, ainda que a tomada de decisão não seja um lugar fácil, é um lugar para o qual precisamos estar preparados; por isso, precisamos ser homens de verdade, homens que decidem, não homens "Nutella", conforme a expressão muito usada atualmente.

Podemos concluir que é nossa responsabilidade e de quem está no governo (em qualquer esfera de governo, seja em casa, organizações, empresas ou poder público) tomar decisões, pois a posição de governo traz consigo a responsabilidade de decidir. Não significa que todas as decisões serão corretas, pois errar é um risco para aquele que decide. Quando aplicamos alguns princípios de Deus ou decidimos conforme seus apontamentos para nós, a chance de errarmos nas decisões que tomamos é menor.

E quando falamos sobre decisão, podemos extrair alguns apontamentos de Gênesis 4:

> Passado algum tempo, Caim trouxe do fruto da terra uma oferta ao Senhor. Abel, por sua vez, trouxe as partes gordas das primeiras crias do seu rebanho. O Senhor aceitou com agrado Abel e sua oferta, mas não aceitou Caim e sua oferta. Por isso Caim se enfureceu e o seu rosto se transtornou. O Senhor disse a Caim: "Por que você está furioso? Por que se transtornou o seu rosto? Se você fizer o bem, não será aceito? Mas se não o fizer, saiba que o pecado o ameaça à porta; ele deseja conquistá-lo, mas você deve dominá-lo" (Gênesis 4.3-7).

Podemos perceber que o texto não menciona a qualidade da oferta de Caim e Abel, mas que Caim ofertou algo para Deus, enquanto Abel ofertou as primícias de algo. Muitos questionam a diferença da oferta dos dois irmãos, não compreendendo por que Deus rejeitou a oferta de Caim, mas aceitou aquilo que Abel ofereceu. Várias ideias e reflexões surgem desse contexto. Em nenhum momento a Bíblia diz que a oferta de Caim foi ruim, mas sim que Abel ofereceu as primícias daquilo que ofertou ao Senhor, ou seja, sua oferta tinha uma conotação de prioridade; ele priorizou a Deus. É como se, ao dedicar o nosso tempo ao Senhor, uns oferecessem as primeiras horas, o primeiro período da manhã, enquanto outros ofertam o final do dia, minutos sem qualidade e cheios de exaustão; em outras palavras, dedicam para Deus aquilo que sobrou do seu tempo.

O segundo aspecto importante do texto é que Deus aceitou Abel e se agradou daquilo que ele ofereceu. Ou seja, antes de receber a nossa oferta, Deus nos recebe. Antes de receber qualquer coisa que possamos oferecer, seja o nosso tempo, nosso recurso, nossa música, o Senhor atenta primeiro para o nosso coração, pois o coração vem antes da mão. Aquilo que somos precede aquilo que fazemos. Não adianta ser ministro da Palavra ou realizar grandes feitos para Deus, quando aquilo que somos não agrada o seu coração. O fazer humano não tem validade alguma quando aquilo que fazemos é de Deus, mas aquilo que somos não é. Muitos vivem essa dicotomia de vida: na igreja vivem de uma forma, mas fora dela vivem de uma maneira completamente diferente. Precisamos estar cientes que, de tudo que possamos oferecer para o Senhor, ele deseja nos ter primeiro.

Certa vez, um pregador disse que não existe nenhum centímetro em nossa vida que Deus não diga "É meu". Ele não deseja 99% de nós, pois o céu não veio pela metade, Deus deu o seu único Filho, entregou seu tudo por amor a nós. Quando o Pai entregou Jesus para nos salvar, provou o seu amor e nos mostrou o valor que temos para ele. Quando o obedecemos, mostramos o valor que ele tem para nós, pois a nossa postura em relação ao Senhor revela o valor que atribuímos a ele.

Abel é citado como profeta, por ter profetizado para as gerações futuras por meio do exemplo que deixou, por ter sido um modelo, um exemplo para seguirmos e imitarmos. Em Hebreus 13.7, a Bíblia diz que devemos observar não apenas o caminho dos nossos líderes, mas o final das suas vidas, o legado que eles deixaram, pois começar bem é fácil, mas terminar bem exige o esforço e a diligência de toda a vida.

O texto diz que Deus, ao falar com Caim, disse: "Caso você tivesse procedido bem, não seria aceito?". O Senhor começa a dialogar com ele sobre a real conotação da sua oferta; pois, se

Caim tivesse priorizado a Deus, consultado ao Senhor para tomar suas decisões, certamente teria sido aceito como seu irmão foi. O grande problema de Caim é que, em vez de se arrepender, de reconhecer seu erro e se redimir, ele olhou para a oferta e para o resultado de Abel, entrando na armadilha da comparação. Ele não pensou em consertar, em ajustar suas prioridades, em agir de maneira aceitável ao Senhor. Ao contrário, comparou a sua vida, oferta e seus resultados com os de Abel e, ao cair na armadilha da comparação, a competição foi instaurada, e competição sempre gera sentimentos malignos. Deus não nos criou para a competição, não nos chamou para competirmos com os outros, mas para andarmos com ele, pois somos únicos.

Deus precisa ser prioridade em nossa vida. Quando o priorizamos, vivemos em seu temor, que é o princípio da sabedoria. Quando andamos no temor do Senhor, vivemos para agradar a ele e não às pessoas.

É interessante que Deus questionou a razão da fúria de Caim: "Por que você está furioso? Por que se transtornou o seu rosto? Se você fizer o bem, não será aceito? Mas se não o fizer, saiba que o pecado o ameaça à porta". Ou seja, quando procedemos bem, somos aceitos pelo Senhor; mas, quando procedemos mal, o pecado e o Diabo estão à porta. Nosso movimento abre ou fecha portas, a diferença é que, ao procedermos bem, fechamos as portas para o Inimigo e, ao procedermos mal, abrimos as portas para ele. É semelhante ao mecanismo de algumas portas automáticas: conforme andamos, elas se abrem. Não se abrem até que percebam algum movimento nosso; mas, ao nos aproximarmos delas, o movimento faz que elas se abram diante de nós. Quando andamos nos princípios do Senhor, de acordo com a sua vontade, em caminhos de perdão e reconciliação, portas de Deus se abrem. Ao proceder na contramão da vontade dele, também abrimos portas, e o Diabo, que está à espreita, encontra a brecha que precisa para nos atacar. A Bíblia diz que é assim que o Inimigo trabalha, andando ao nosso derredor como leão, rugindo, buscando a oportunidade perfeita para nos devorar. Ele está sempre à espreita, e basta darmos uma brecha, procedermos mal, darmos espaço e lugares para sentimentos que alimentam demônios, para sermos presas fáceis a ele. Alguns sentimentos alimentam demônios, pois espíritos maus se alimentam de sujeira. O sentimento que Caim abrigou abriu portas para demônios agirem e influenciarem seu comportamento. Sempre que deixamos a sujeira em nossa casa, em apenas alguns dias, as moscas serão atraídas, e não, adianta espantar as moscas, precisamos remover o lixo e a sujeira acumulada. Como maridos e pais, enquanto cristãos, o nosso procedimento, a nossa forma de viver, as nossas práticas diárias nos protegerão ou condenarão, pois é a lei da semeadura.

Caim ficou tão irado que o seu semblante mudou. A ira que ele sentiu foi tão intensa, que ele assumiu uma aparência maligna, em outras palavras, ficou endemoninhado. Ele ficou transtornado, com cara de tribulação. Resumindo, o Inimigo estava à porta e, quando Caim ficou irado, Satanás entrou. Caim não avaliou a si mesmo, não reconheceu seu erro. Ao entrar no caminho da comparação, a competição deu luz ao sentimento de vingança, e, assim, o Inimigo tomou as rédeas do seu comportamento. Caim desejou destruir aquele que procedeu bem, porque agiu melhor que ele. Ou seja, um sentimento diabólico, cuja motivação era destruir o irmão que havia sido aprovado. Percebemos que primeiro o Inimigo entrou na mente, e, em seguida, começou a trabalhar no coração, pois tudo que acessa a nossa mente, desce ao nosso coração, e do nosso coração, alcança e move as nossas mãos. Todo pensamento resulta em um sentimento, e todo sentimento resultará em uma ação. Tudo começa em nossa mente, ela é o primeiro alvo do Inimigo, pois a Bíblia fala em Provérbios que, como pensamos ou imaginamos, assim somos. Tudo que sentimos reflete em nossas atitudes, e a soma das nossas ações define quem somos.

Caim pensou de forma errada, permitiu um sentimento maligno em seu coração, e esse sentimento resultou em uma atitude: matar o seu próprio irmão.

No diálogo de Deus com Caim, não existia nenhuma decisão cabal. Caim percebeu o ambiente, mas sua conversa com o Senhor não abriu seus olhos. Ele teve a oportunidade de compreender a razão de sua oferta não ter sido aceita, a chance de escolher proceder bem, mas não compreendeu o alerta do Pai. Esse momento do diálogo dos dois deve trazer esperança ao nosso coração, pois significa que, ao cairmos, sempre existe uma oportunidade para nos levantarmos e procedermos diferentemente, agirmos bem e não abrirmos portas para o Diabo.

Sabemos que, em Jesus, somos uma nova criatura, e nele temos uma nova natureza. Em Lucas 9, temos alguns versos interessantes e concernentes ao contexto que estamos abordando:

> Aproximando-se o tempo em que seria elevado ao céu, Jesus partiu resolutamente em direção a Jerusalém. E enviou mensageiros à sua frente. Indo estes, entraram num povoado samaritano para lhe fazer os preparativos; mas o povo dali não o recebeu porque se notava em seu semblante que ele ia para Jerusalém (Lucas 9.51-53).

Jesus, percebendo o ambiente e a proximidade do cumprimento da profecia, teve uma expressão de pessoa bem resolvida, uma expressão de alguém que estava dizendo "ninguém me tira do meu propósito!".

Essa é a expressão que devemos manifestar em nossos dias, uma expressão de quem sabe aonde está indo, um rosto que diz: "Mulher nenhuma me rouba da minha casa, da minha família; pecado nenhum me rouba dos meus filhos nenhuma pandemia rouba a minha fé".

Caim mudou o semblante, tornou-se mau e caiu. Jesus assumiu a expressão eterna porque sabia aonde estava indo. Os dois compreenderam o ambiente, entenderam o caminho, mas um abriu as portas para o Maligno, enquanto o outro fixou os olhos em Jerusalém, na cruz, na eternidade. Todos nós podemos decidir onde teremos o nosso final.

Não há pecado que vença um homem decidido a andar no temor do Senhor e a manter suas portas fechadas para o Inimigo. Deus disse que manter o Inimigo do lado de fora era responsabilidade de Caim, assim como também dominar o pecado que tentava dominá-lo, pois o salário do pecado é a morte, e para não termos esse salário creditado em nossa conta, precisamos romper com todo contrato pecaminoso, deixando que o fogo do arrependimento queime toda aliança pecaminosa na qual nos envolvemos. Sempre que nos posicionamos corretamente, o Reino se posiciona a nosso favor.

Não podemos permitir que o mundo amolde nossa vida de novo, precisamos ter uma firme decisão de viver como filhos obedientes, que não se deixam mais vencer pelos maus desejos do passado:

> Como filhos obedientes, não se deixem amoldar pelos maus desejos de outrora, quando viviam na ignorância. Mas, assim como é santo aquele que os chamou, sejam santos vocês também em tudo o que fizerem (1Pedro 1.14,15).

É nossa responsabilidade não deixar que o mundo nos influencie novamente. Não permitir que isso aconteça é algo que precisamos fazer por nós mesmos, pois nascemos para ser parecidos com Jesus, não moldados pelo mundo. Em Efésios 4, a Bíblia diz que fomos ensinados a nos despir do velho homem e renovar diariamente o nosso modo de pensar, revestindo-nos do novo homem, que foi criado para ser semelhante a Deus. A mentira vai aparecer, o pecado sempre vai estar à porta, mas decidimos não dar lugar ao Diabo. Em outras palavras, assim como Deus falou com Caim, diz para nós: decida!

Precisamos decidir vencer, manter as portas fechadas para o pecado, abrir a porta do favor do céu para nós, para que assim vivamos os pensamentos que ele tem a nosso respeito, pensamentos de paz e não de mal.

Para muitos, a realidade da batalha e decisão de viver revestido do novo homem pode ser difícil, e alguns consideram impossível, mas a Palavra diz que não existe nenhuma tentação que não possamos suportar:

> Não sobreveio a vocês tentação que não fosse comum aos homens. E Deus é fiel; ele não permitirá que vocês sejam tentados além do que podem suportar. Mas, quando forem tentados, ele lhes providenciará um escape, para que o possam suportar (1Coríntios 10.13).

A Palavra nos garante que jamais seremos tentados além da nossa capacidade de resistir à tentação. Concluímos que tudo depende da firme decisão de não cedermos. Antes devemos buscar o escape provido pelo Senhor para não pecarmos. Todo aquele que está sendo tentado tem em si a força e a capacidade para decidir resistir.

Cabe a nós vencer a tentação, os medos que rondam nosso coração todos os dias. Qual gigante costuma nos afrontar logo pela manhã? Precisamos crer que é possível vencer a tentação, andar acima dos medos e derrubar todos os gigantes. Tudo que precisamos para vencer tentações e gigantes já está em nós, mas a decisão de vencer é nossa.

É possível que alguns homens precisem decidir desistir das decisões erradas que estão em seus corações. Homens que estão decididos a abandonar a família, o ministério, tirar a própria vida. Decida agora desistir de todas as decisões erradas e diabólicas, escolha viver os melhores dias reservados por Deus para você. Que o Espírito que estava sobre Jesus venha sobre nós, para que, assim como ele teve a firme decisão de seguir para Jerusalém, o lugar da promessa, possamos seguir para a nossa Jerusalém, para o nosso secreto com Deus, para a casa do Pai, para o nosso lar, para o lugar das promessas de Deus. Decida hoje não seguir o caminho de Caim, mas aprender com Jesus a prosseguir para Jerusalém.

> Não há pecado que vença um homem decidido a andar no temor do Senhor e a manter suas portas fechadas para o Inimigo.

TELMO MARTINELLO

DESCONFIE DE QUEM NÃO MANCA

O medo é um dos fatores mais limitantes na vida do homem, e sempre que Deus nos traz apontamentos sobre ele, costuma ser uma mensagem que fala profundamente ao nosso coração. Deus não nos deu um espírito de medo, mas ele sabe que os medos com os quais lidamos são reais, verdadeiros. Sua direção para nós é que devemos andar acima dos medos que nos cercam, ou seja, não significa que vamos viver sem eles, mas que é possível andar acima deles. O salmista disse que o próprio Deus nos faz andar em lugares altos, e um lugar alto não é, necessariamente, um lugar com ausência de medo ou humanidade. Ao contrário, lugares altos são justamente aqueles que nos desafiam e costumam nos amedrontar.

Quanto maior a altitude de alguns lugares, maior é a probabilidade de o medo surgir. Medo não significa que somos incrédulos ou que temos uma fé inoperante, significa apenas que somos humanos. Podemos caminhar em fé trilhando lugares altos, lidando e vencendo os nossos medos. O segredo não é a inexistência do medo, mas vencermos os temores que surgem na caminhada.

Todos nós temos medo de alguma coisa. Em certa medida, o medo é algo protetivo; pois, dependendo da sua medida, ele contribui para nossa segurança. Uma criança que está no alto de um prédio e que, ao olhar para baixo e observar a altura dele não se aproxima do limite por ter medo de cair, exemplifica a função protetiva do medo. O medo protetivo não é ofensivo, pelo contrário, foi criado pelo próprio Deus para ser um mecanismo de segurança para o ser humano. Mas existem outros medos, como os particulares, que o Inimigo tenta colocar sobre nós. Precisamos discernir quais são os tipos de medos com os quais estamos lidando e em que nível estamos em relação a eles.

Enquanto seres humanos, podemos ter medos, mas o medo de estar na presença de Deus, de andar com o Senhor e de obedecê-lo são diabólicos. Apenas na proporção certa, o medo é uma medida protetiva criada pelo Senhor para nos manter seguros.

O apóstolo Pedro é um excelente exemplo de alguém que teve medo, mas ousou andar sobre as águas, sendo o único, além de Jesus, a colecionar essa experiência sobrenatural.

Certa vez, após ouvir a frase "desconfie de quem não manca", Deus me deu uma revelação ao ler o capítulo 32 do livro de Gênesis:

> Naquela noite Jacó levantou-se, tomou suas duas mulheres, suas duas servas e seus onze filhos para atravessar o lugar de passagem do Jaboque. Depois de havê-los feito atravessar o ribeiro, fez passar também tudo o que possuía. E Jacó ficou sozinho. Então veio um homem que se pôs a lutar com ele até o amanhecer. Quando o homem viu que não poderia dominá-lo, tocou na articulação da coxa de Jacó, de forma que lhe deslocou a coxa, enquanto lutavam. Então o homem disse: "Deixe-me ir, pois o dia já desponta". Mas Jacó lhe respondeu: "Não te deixarei ir, a não ser que me abençoes". O homem lhe perguntou: "Qual é o seu nome?", "Jacó", respondeu ele.

> Então disse o homem: "Seu nome não será mais Jacó, mas sim Israel, porque você lutou com Deus e com homens e venceu". Prosseguiu Jacó: "Peço-te que digas o teu nome". Mas ele respondeu: "Por que pergunta o meu nome?" E o abençoou ali. Jacó chamou àquele lugar Peniel, pois disse: "Vi a Deus face a face e, todavia, minha vida foi poupada". Ao nascer do sol atravessou Peniel, mancando por causa da coxa (Gênesis 32.22-31).

Jacó estava em um caminho de conserto. Após toda troca fraudulenta com seu irmão Esaú no episódio da bênção da primogenitura, Jacó ia encontrar-se com o irmão que havia sido enganado.

No caminho, Jacó seguia em direção ao irmão. Certamente teve de lidar com o medo, afinal, o relacionamento havia sido quebrado há anos. Entretanto, nesse momento da vida dele, aprendemos que todo caminho de conserto, restauração e humildade reserva presentes de Deus, pois ele sempre confere favor aos humildes. Todas as vezes que decidimos descer, que decidimos reconciliar, que escolhemos perdoar ou pedir perdão e decidimos inclinar o nosso coração aos nossos filhos ou converter o nosso coração aos nossos pais, encontramos presentes de Deus reservados para nós, pois alguns presentes estão escondidos em caminhos de reconciliação, perdão e humildade.

Foi enquanto Jacó estava nesse caminho que apareceu alguém para lutar com ele, alguém que ele mesmo discerniu como sendo o próprio Deus. É interessante que nesse caminho de restauração, no capítulo 33 de Gênesis, nos primeiros versos, está escrito que Jacó dividiu os filhos e as esposas. Colocou as servas e os seus filhos à frente, Lia e seus filhos depois, e Raquel com José por último, e ele passou à frente para se aproximar do seu irmão. Ou seja, José, uma das maiores referências bíblicas sobre perdão e reconciliação, estava com Jacó nesse caminho de conserto que ele trilhou. E isso nos ensina sobre o valor do exemplo, pois toda história de perdão e reconciliação de José com seus irmãos teve a experiência da reconciliação de Jacó e Esaú como base. O exemplo é uma das influências mais poderosas nas relações humanas. O exemplo que José teve quando ainda era um menino formou o modelo do homem que ele seria no futuro. Isso fez dele um reconciliador.

O caminho da reconciliação é um caminho no qual encontramos presentes do céu, mas também construímos um legado para abençoar e formar as próximas gerações. As pessoas que caminham ao nosso redor observam o caminho que trilhamos, elas especulam se seguimos pelo caminho da desavença ou da reconciliação, e o caminho que escolhemos exerce uma enorme influência sobre elas.

Infelizmente, quando olhamos para o cenário atual, percebemos que a grande maioria dos cristãos trilha o caminho do orgulho, da agressão, da soberba, da opinião própria; podemos ver irmãos contra irmãos devido a uma necessidade de estar certo ou ter razão. É válido lembrar que sempre que colocamos a nossa expectativa em pessoas, "caímos do cavalo". Deus usa pessoas, mas as nossas expectativas devem estar nele. Entretanto, isso não significa que devemos colecionar relacionamentos quebrados. Nosso coração deve escolher e permanecer no caminho da reconciliação, no caminho da compaixão, da irmandade e da fraternidade, não no caminho do orgulho, egoísmo, individualismo ou hedonismo.

Deus espera que compreendamos que o caminho do amor é um caminho de reconciliação, que muitas vezes nos fará pegar o telefone, escrever uma carta ou um *e-mail*, e trilhar um caminho de aproximação com pessoas com as quais nosso relacionamento foi quebrado. O amor fraterno está acima das diferenças; pois, quando observamos o comportamento da igreja primitiva, ou o livro de Atos, percebemos que não existia nada capaz de separá-los, porque aquilo que unia a igreja era maior que ela mesma: Cristo, o motivo e o Senhor de tudo, era maior que as possíveis diferenças que existiam entre eles.

Acredito que é para esse lugar que Deus deseja nos conduzir, um caminho de reconciliação, de perdão e de humildade, um lugar no qual decidimos perder para ganhar, assim como Cristo venceu, perdendo. Sempre que perdemos para nós ou para os homens, ganhamos diante de Deus.

Jacó, no caminho da reconciliação, entrou em luta com o Senhor, pois a nossa natureza carnal, a nossa velha natureza, sempre estará em guerra com a nossa nova natureza em Deus. O apóstolo Paulo descreveu essa guerra muito bem quando disse:

> Pois o que faço não é o bem que desejo, mas o mal que não quero fazer, esse eu continuo fazendo. Ora, se faço o que não quero, já não sou eu quem o faz, mas o pecado que habita em mim (Romanos 7.19,20).

Paulo estava descrevendo a luta de todo homem e mulher de Deus, uma guerra que sempre existirá.

O desejo de Deus sempre foi ter o homem por completo. O texto diz que, quando o "homem viu que não poderia dominá-lo", tocou na articulação da coxa de Jacó, deslocando-a enquanto lutavam. Deus estava tentando dominar Jacó, mas não pôde fazê-lo totalmente. Assim será conosco enquanto estivermos neste corpo corruptível, não seremos totalmente dominados por Deus, sempre lidaremos com guerras internas e externas, batalhas em nossa mente, guerras em nosso coração. Enquanto estivermos aqui, teremos que lutar com armas espirituais, não contra pessoas, mas contra dominadores em um mundo que a Bíblia descreve como tenebroso. É por isso que as disciplinas espirituais não têm o propósito de movimentar os outros, mas sim de edificar a nós mesmos. Jejuamos porque não existe nada de bom em nossa carne, todos precisamos de Deus.

Algumas vezes, Deus precisa nos deixar mancando para não nos perdermos dele. Em outras, ele não pode nos dar o crescimento que poderíamos experimentar porque, se crescermos, nos perderemos do Senhor. Tem lugares que, se Deus nos permitir alcançar, nosso coração se perderá dele. Então, por amor a nós, ele nos deixa mancando, coloca um espinho na carne como o que foi colocado em Paulo, para entendermos que a graça dele nos basta e que, em nossas fraquezas, o poder dele se manifesta.

É muito fácil dizer que estamos tranquilos quando nossa conta bancária tem o suficiente para alimentar 15 gerações, quando temos títulos, bens, recursos variados e abastados. Mas, quando perdemos nossa falsa segurança, e nos encontramos em um lugar de insegurança e fraqueza, é que o poder de Deus se torna operante em nós.

Após tocar na coxa de Jacó e deixá-lo manco, aquele homem lhe perguntou o nome. Naquele momento, Jacó, cujo significado do nome era enganador, mentiroso, não mentiu nem enganou. O mentiroso não mente e o enganador não consegue enganar; pois, quando estamos perto de Deus, não conseguimos mais esconder nada, seu olhar alcança e revela todas as coisas.

Podemos apresentar uma performance diante das pessoas, preparar uma mensagem para produzir sensações no público, podemos cantar, dançar, fazer diversas coisas para enganar ou impressionar as pessoas. Diante do olhar de Deus, nada permanece oculto. Quando foi questionado sobre o seu nome, o enganador não mentiu ou enganou, mas disse: meu nome é Jacó, meu nome é enganador.

É possível que essa seja a mesma pergunta do Espírito Santo para nós: qual é o seu nome? Talvez seja necessário termos a coragem de assumir, declarar que somos uma fraude, que só queremos Deus para obter bênção financeira, lucro pessoal, prestígio das pessoas. Alguns terão que admitir que não possuem mais nada, pois a fé foi embora. Há pastores que, ao perderem o púlpito, perderam tudo. Quem somos nós? Quem sou eu? Quem é você? Tudo que Deus deseja é nos perguntar: "Como você está? Seja verdadeiro comigo!".

Mas aquele homem, ou o próprio Deus, também deu uma resposta a Jacó: "Seu nome não será mais Jacó, mas sim Israel, porque você lutou com Deus e com homens e venceu". Ou seja, Jacó não seria mais lembrado pelo seu passado, mas sim por aquilo que Deus faria em sua vida dali em diante. Ele não seria mais conhecido como enganador, mas como príncipe do Senhor. Assim Deus faz conosco. Não somos mais o drogado, o adúltero, o enganador, o falido, mas o liberto, o fiel, o íntegro, o próspero, porque fomos sinceros, confessamos o nosso antigo nome e o nosso passado, não mentimos e fomos transformados por Deus, pois lutamos com ele e vencemos.

Foi no caminho de reconciliação com seu irmão que Jacó teve um encontro transformador com Deus. Encontramos o Senhor quando escolhemos trilhar um caminho de encontro e reconciliação com as pessoas.

O texto também diz que ali mesmo, naquele momento em que lutou e teve sua coxa tocada, Jacó foi abençoado. É interessante que não temos nenhuma evidência material da bênção, pois a verdadeira bênção é estarmos com o Senhor, é termos o nosso nome escrito no livro da vida. Quando nos encontramos com ele e perdemos algo nosso, algo pecaminoso, recebemos dele algo totalmente divino. A verdadeira bênção é sermos transformados, é mudarmos de dentro para fora, nos tornarmos Israel.

Deus deseja trocar a identidade de muitos de nós, para que não sejamos mais conhecidos como irados, católicos, evangélicos, enganadores, mentirosos, mas sim chamados filhos de Deus. A vontade do Senhor é que não tenhamos mais a nossa fé ou religiosidade apoiada em uma tradição, mas em uma fé verdadeira, fundamentada na cruz do Calvário.

Um encontro com Deus nos transforma. Jacó saiu de Peniel transformado, mas estava mancando. Agora ele era um príncipe de Deus; foi abençoado, recebeu até um nome novo, estava mancando. Para não correr o risco de perder Jacó, Deus o deixou mancando, mas de forma que ele nunca mais esquecesse de onde ele era, quem ele era, e, principalmente, de quem era dependente.

Podemos imaginar Jacó, agora Israel, compartilhando a sua experiência com as pessoas, dizendo: "Um dia eu tive um encontro com Deus e, nesse encontro, ele me abençoou e mudou o meu nome". É possível que as pessoas notassem seu problema e afirmassem: "Mas você está mancando!". E certamente ele responderia: "Sim, e estar nesta condição não me deixa esquecer quem fui e me ajuda a lembrar que tudo que sou vem do Senhor". Ao mancar, Jacó poderia lembrar que antes era enganador, mas agora era Israel, porque a graça de Deus alcançou a sua vida.

É provável que todas as vezes que Israel passava mancando em uma rua, as pessoas afirmassem que ele era um homem cuja sorte foi mudada. Às vezes, olhamos para a nossa vida e identificamos certas marcas ou manchas que gostaríamos que não existissem; mas talvez sejam justamente essas marcas que nos façam vencer a soberba, que nos ajudem a permanecer no secreto com Deus e a sermos dependentes dele, pois elas nos lembram que não somos nada sem o nosso Pai. É o ato de mancar que nos lembra o quanto precisamos de Deus. Assim como o espinho na carne de Paulo, nossas marcas nos lembram que o poder de Deus se aperfeiçoa nas nossas fraquezas.

Nunca seremos perfeitos, sempre existirão espinhos ou sempre teremos uma área manca na nossa vida, mas a graça do Senhor nos bastará.

Todo homem ou mulher que tem um encontro com Deus tem o seu nome e a sua identidade mudados. Todo aquele que se encontra com a graça descobre que é um grande pecador. Precisamos desconfiar de quem não manca, ou melhor, devemos desconfiar de nós mesmos se, por acaso, não mancarmos, supondo que está tudo bem. É importante desconfiar de nós mesmos quando não consideramos que a graça nos basta, quando não choramos mais aos pés do Senhor, quando deixamos de mancar.

Precisamos desconfiar de nós mesmos quando pensamos que tudo está perfeito ou maravilhoso demais, porque é possível que tenhamos prosseguido, e, em algum momento da nossa caminhada, Deus tenha ficado para trás. O segredo do êxito em nossa jornada não é apenas ir, mas ir com ele, pois a pior tragédia que podemos viver é ter sucesso naquilo que Deus não nos chamou para ter sucesso, é ser usado em algo que o Senhor não o chamou para ser usado.

Quando nossos olhos conseguem enxergar o outro mancando, mas não mancamos mais ou não enxergamos que também mancamos, é bem provável que estejamos precisando de outro encontro com Jesus. Se não conseguimos ver a dor do próximo, somos nós que estamos doentes. Quando não vemos mais os nossos defeitos, mas destacamos os defeitos dos outros, precisamos de um novo encontro em Peniel, um novo encontro com o Pai, pois é esse encontro que muda tudo.

São os encontros com Deus que nos transformam, nos dão compaixão, ferem o nosso orgulho e soberba, para sermos humildes e parecidos com ele. Precisamos desconfiar de quem não manca, principalmente se a pessoa que não manca formos nós. É importante que sejamos libertos do dedo acusador, que recebamos um coração igual ao de Jesus, para que, ao nos depararmos com pedras nas mãos para atirarmos na mulher adúltera, possamos ouvir em Peniel: "Quem não manca, atire a primeira pedra!".

Desconfie de quem não manca. Que a nossa postura seja sempre de homens que reconhecem que mancam, sabem que precisam ter um encontro com Deus, porque só ele muda a nossa identidade e restaura a nossa vida.

“São os encontros com Deus
que nos transformam,
nos dão compaixão, ferem o nosso
orgulho e soberba, para sermos
humildes e parecidos com ele.”

TELMO MARTINELLO

DESISTIR NÃO É UMA OPÇÃO

Passado algum tempo, Caim trouxe do fruto da terra uma oferta ao Senhor. Abel, por sua vez, trouxe as partes gordas das primeiras crias do seu rebanho. O Senhor aceitou com agrado Abel e sua oferta, mas não aceitou Caim e sua oferta. Por isso Caim se enfureceu e o seu rosto se transtornou. O Senhor disse a Caim: "Por que você está furioso? Por que se transtornou o seu rosto? Se você fizer o bem, não será aceito? Mas se não o fizer, saiba que o pecado o ameaça à porta; ele deseja conquistá-lo, mas você deve dominá-lo" (Gênesis 4.3-7).

Podemos ter ouvido muitas coisas sobre a qualidade da oferta de Caim e Abel, mas a verdade é que o texto não menciona a qualidade da oferta, mas sim a prioridade que ambos tiveram ao ofertar. Caim, como lemos no texto, "passado algum tempo", decidiu ofertar, mas Abel ofertou as primícias do rebanho, ou seja, para Abel, ofertar ao Senhor era algo prioritário. Quando ele ofertou das primícias do seu rebanho, deixou uma lição: agradamos a Deus quando fazemos dele a nossa prioridade; quando ele tem a primazia de toda a nossa vida, alegramos o seu coração.

O texto relata que Deus aceitou Abel e a sua oferta, e antes de aceitar a oferta ou a atitude de Abel, aceitou aquele que ofertava, ou seja, na perspectiva de Deus, o coração vem antes das mãos, e aquilo que somos antes do que podemos fazer. Podemos supor que agradamos a Deus com aquilo que ofertamos ou oferecemos a ele; mas, antes de aceitar o resultado ou oferta das nossas mãos, ele avalia o coração ou as intenções com as quais ofertamos. É possível alguém ofertar ou ter uma atitude bondosa sem, de fato, ser benigno. Apesar de serem dois termos muito parecidos, existe uma enorme diferença entre bondade e benignidade. Um exemplo disso é quando alguém doa uma cesta básica ou serve um copo de água apenas pela aparência que essas atitudes podem conferir à sua própria imagem, para simplesmente impressionar pessoas ou lucrar algo com isso. Enquanto a bondade faz o que é certo, sendo mais uma ação que um sentimento, a benignidade é a disposição em sermos bondosos, um sentimento puro, honesto e persistente, que independe das ações dos outros, nos fazendo agir em benefício do próximo e não de nós mesmos. É possível agirmos com bondade e não sermos benignos, mas é impossível sermos benignos e não agirmos com bondade. Em muitas situações, apenas Deus conhecerá, de fato, a motivação das nossas ações, e é por isso que, antes de aceitá-las, ele pesa as nossas motivações.

A maioria de nós já ouviu o dito popular sobre o inferno estar cheio de boas intenções, mas eu costumo corrigir essa afirmação dizendo que o céu está cheio de boas intenções. O que enche o inferno são boas ações com motivações erradas, são das más intenções que o inferno transborda.

Caim e a sua oferta não foram aceitos. Assim como Deus se agradou primeiro de Abel e, depois da sua oferta, se desagradou primeiro de Caim e depois da oferta que ele ofereceu. Caim não compreendeu que não se tratava da qualidade da oferta, mas da prioridade que o irmão havia dado a Deus. No texto, percebemos que o Senhor estava conduzindo o diálogo para tratar o coração de Caim, apontando a importância e o resultado da ação. Abel havia procedido bem e tanto ele quanto a sua oferta haviam sido aceitos, mas Caim procedeu mal e tanto ele quanto a sua oferta foram rejeitados.

Contudo, a tristeza de Caim não foi por ter percebido sua má atitude, mas por saber que a oferta e a atitude de Abel foram agradáveis ao Senhor. Caim não se preocupou em como ele poderia acertar, proceder de maneira correta ou aceitável a Deus. Ele se deixou enredar pela comparação. O problema da comparação é que ela sempre gera sentimentos malignos. Quando não agimos bem, nosso maior erro é comparar a nossa conduta com a de quem está agindo bem, fazendo a sua parte. Não temos que olhar para o outro, mas observar a nossa própria atitude e atentar para aquilo que precisa ser corrigido.

Ao não agir bem como pais, maridos ou líderes, abrimos espaço para sentimentos demoníacos, pois a nossa postura determina a colheita que teremos.

Muitos homens casados disputam com as suas próprias esposas, comparam a própria conduta à delas, disputando acerca de santidade e outros aspectos do relacionamento ou do lar. Outros reclamam das situações que vivenciam em seus casamentos, não compreendendo muitas circunstâncias. Costumo dizer que o nome daquilo que eles enfrentam é "fatura", ou seja, é a lei da semeadura, é apenas a consequência das más escolhas, decisões e ações para as quais cedo ou tarde a conta chega. Confesso ficar um pouco irritado quando um homem me procura ao ser abandonado por sua esposa sem saber relatar o motivo pelo qual ela o deixou. Ao questionar sobre as suas atitudes no casamento, identificamos que não existia mais tempo de qualidade, elogios, carinho, presentes ou uma infinidade de ações que agregam valor ao lar, seja com a esposa, seja com os filhos. Quando não nos posicionamos como pais e maridos, deixamos uma lacuna que poderá ser ocupada por outro. A fatura vem, o vácuo é uma brecha que será preenchida, pois tudo é substituível.

Devemos compreender que o mal está à porta, e a nossa boa conduta é a chave para mantê-lo do lado de fora. Conforme o texto, entendemos que estamos em um processo, e a responsabilidade de vencer a tentativa de invasão do pecado é nossa, pois cabe a nós dominar aquilo que luta para nos conquistar. Quando procedemos mal, o pecado consegue entrar e destruir primeiramente o nosso relacionamento com Deus, pois o pecado nos afasta dele, e é desse relacionamento que dependem as demais áreas e os aspectos da nossa vida. Quando estamos longe de Deus, tudo parece estar fora da ordem ou sem órbita. Quando nos aproximamos dele, tudo passa correr em harmonia, em perfeita ordem. Ao olhar para a queda do homem, reconhecemos que toda desordem humana resultou da origem do pecado, e, consequentemente, da separação entre Deus e o homem. Logo, ao voltar para Deus, permitimos que ele devolva toda ordem perdida no Éden, nosso relacionamento com ele é curado, e a cura escorre sobre todas as esferas da nossa existência.

Por muito tempo, ouvimos pessoas usando a fraqueza da carne como desculpa para pecar; mas, quando alimentamos o espírito, enfraquecemos o domínio da carne.

Muitas vezes somos conquistados pelo pecado porque abandonamos práticas espirituais fundamentais para a nossa saúde espiritual. Não podemos deixar de orar, jejuar, ter momentos com Deus e com a sua Palavra. Precisamos perseverar nessas práticas, não para termos moeda de troca, mas para nos mantermos íntimos com o Pai. Não jejuamos por causas, mas para que o velho homem morra e prossigamos em santificação. Infelizmente, o velho homem não morre no batismo, ele precisa ser mortificado diariamente.

Em 1Pedro 1.14, lemos que devemos viver como filhos da obediência e não permitir que as paixões do velho homem dominem a nossa vida. Não podemos deixar que os antigos maus desejos nos dominem. Tentação não é pecado, mas dizer sim para ela permite que o pecado entre.

Quando decidimos proceder bem, não existe pecado capaz de nos dominar. Sabemos quem nos chamou, e, por vivermos no temor do Senhor, não há pecado capaz de corromper a nossa conduta. Todo homem caído tem um preço, mas homens em Cristo não, pois o preço já foi pago por Jesus, que venceu o pecado para sermos santos como ele é.

É claro que o posicionamento correto tem consequências. Muitas vezes, por agirmos corretamente, nosso destino será a cova dos leões. Sempre que nos posicionamos corretamente, Deus estará conosco, e aquele dia será um dia de jejum para os leões que tentarem nos devorar.

Precisamos de pessoas que nos ajudem na caminhada, mas cabe a nós vencer e não permitir ser vencidos pelo velho homem. Nessa luta não haverá ninguém para lutar por nós. Efésios 4 descreve o que poderíamos considerar um manual completo da boa conduta, e a ênfase do verso 22 está em nos despirmos do velho homem. Desse texto, concluímos que a responsabilidade de remover o velho homem não é de Deus, mas nossa. Somos nós que devemos nos despir da nossa antiga maneira de viver, do velho homem que se corrompe por desejos enganosos, também é nossa responsabilidade buscar a renovação da nossa maneira de pensar e o revestimento do novo homem. Não somos responsáveis apenas por abandonar o velho homem, mas principalmente por buscar a roupa nova, o novo homem, agradável a Deus e criado para ser semelhante a ele.

A grande ilusão que nos vence é pensarmos que uma oração forte resolve. Na verdade, são as nossas práticas e a decisão de vivermos conforme a vocação que recebemos que nos transforma. É o ato diário de ir para cruz que mortifica o velho homem e nos reveste do novo.

> Quanto à antiga maneira de viver, vocês foram ensinados a despir-se do velho homem, que se corrompe por desejos enganosos, a serem renovados no modo de pensar e a revestir-se do novo homem, criado para ser semelhante a Deus em justiça e em santidade provenientes da verdade. Portanto, cada um de vocês deve abandonar a mentira e falar a verdade ao seu próximo, pois todos somos membros de um mesmo corpo. "Quando vocês ficarem irados, não pequem". Apaziguem a sua ira antes que o sol se ponha, e não deem lugar ao Diabo. O que furtava não furte mais; antes trabalhe, fazendo algo de útil com as mãos, para que tenha o que repartir com quem estiver em necessidade. Nenhuma palavra torpe saia da boca de vocês, mas apenas a que for útil para edificar os outros, conforme a necessidade, para que conceda graça aos que a ouvem. Não entristeçam o Espírito Santo de Deus, com o qual vocês foram selados para o dia da redenção (Efésios 4.22-30).

Fomos criados para sermos semelhantes a Deus e, para isso, precisamos ser santos como ele é. Contra a mentira, não existe oração forte, existe a verdade. Se desejamos abandonar a mentira, devemos falar e viver a verdade. Quando ficamos irados, podemos decidir não nos deixar ser dominados pela ira, sem pecar nem dar lugar ao Diabo. Aquele que roubava, não roube mais, seja útil, trabalhe e tenha ainda para repartir com o próximo. Não podemos permitir que palavras torpes saiam da nossa boca, apenas aquilo que vai edificar o outro. Quando observamos versos como esses, compreendemos que não existe sentimento ou fórmula mágica, apenas obediência.

Não raramente nos concentramos em agradar pessoas, mas a única preocupação válida é não entristecermos o Espírito. É por ele que devemos deixar todas as mazelas do velho homem: amargura, gritaria, calúnia, ira e toda maldade passível a nós. Nossa meta é ser exatamente o oposto: viver revestidos do novo homem, ser bondosos uns com os outros, perdoar como Cristo nos perdoou.

> Não sobreveio a vocês tentação que não fosse comum aos homens. E Deus é fiel; ele não permitirá que vocês sejam tentados além do que podem suportar. Mas, quando forem tentados, ele lhes providenciará um escape, para que o possam suportar (1Coríntios 10.13).

Esta é uma palavra de esperança para os nosso coração: jamais seremos tentados acima da nossa capacidade de resistir. Além de não permitir que sejamos tentados por algo que não possamos suportar, Deus mesmo providencia um escape para que consigamos resistir. Juntamente com a tentação, quando resistimos (na maioria das vezes não resistimos até sangrar) e o caminho parece insuportável, Deus provê o escape, pois temos um sacerdote que se compadece de nós:

> Portanto, visto que temos um grande sumo sacerdote que adentrou os céus, Jesus, o Filho de Deus, apeguemo-nos com toda a firmeza à fé que professamos, pois não temos um sumo sacerdote que não possa compadecer-se das nossas fraquezas, mas sim alguém que, como nós, passou por todo tipo de tentação, porém, sem pecado. Assim sendo, aproximemo-nos do trono da graça com toda a confiança, a fim de recebermos misericórdia e encontrarmos graça que nos ajude no momento da necessidade (Hebreus 4.14-16).

Nosso sacerdote supremo foi tentado de todas as formas, mas venceu. A mensagem que Deus tem para o nosso coração não é de condenação, mas de salvação. Não é sobre julgamento, mas sobre livramento. Não se trata de peso, mas de jugo suave e também de responsabilidade. É o evangelho da graça que nos mostra a importância de honrar àquele que nos salvou. Se caímos, devemos nos levantar, se sujamos ou comprometemos algo, devemos limpar e reparar os danos que provocamos. Devemos honrar Jesus com a nossa postura e não expô-lo novamente ao vitupério pela nossa má conduta.

Fomos chamados para uma maratona e precisamos compreender que toda maratona envolve riscos e desafios. Muitos começam; no entanto, poucos são aqueles que concluem.

Deus deixou uma corrida, uma maratona, para ser enfrentada, e ele sabia que não seria fácil para nós. A questão é se vamos perseverar e concluir, ou se vamos desistir dela. Se decidirmos não desistir da maratona, no meio do caminho o copo de água vai chegar, encontraremos sombras e descidas para aliviar o esforço da subida, trechos que nos proporcionarão alívio para chegarmos ao final. Mas, se desistirmos, não alcançaremos o prêmio reservado aos que chegam ao fim.

Por isso, Paulo disse que, deixando o passado para trás, ele prosseguia para alvo, para alcançar o prêmio do chamado celestial. O foco não estava no prêmio, mas na fidelidade de quem o prometeu.

Pedro entendeu essa verdade, sabia que fugir da maratona ou desistir não era uma opção. Para quem encontra e compreende a graça, não há espaço para a fuga ou desistência, assim como tantos irmãos que morreram e entregam suas vidas no Oriente Médio por não negarem a Jesus, pois nele encontraram um motivo para correr e um alvo para alcançar. Descobriram um motivo maior que qualquer recompensa terrena.

Muitos questionam sobre a recompensa de resistir ao pecado, de nos despir do velho homem e não dar lugar ao Diabo. Costumo responder que não teríamos melhor resposta que a desses irmãos do Oriente Médio, de Paulo e de toda nuvem de testemunhas que nos aponta para a importância de nos livrarmos de todo embaraço e de correr com perseverança a corrida que nos foi proposta.

Estamos na mesma corrida, e não há tempo para desistir. Quando penso nisso, lembro da história do Antigo Testamento sobre os escravos ou servos da orelha furada:

> São estes os estatutos que lhes proporás: Se comprares um escravo hebreu, seis anos servirá; mas, ao sétimo, sairá forro, de graça. Se entrou solteiro, sozinho sairá; se era homem

> casado, com ele sairá sua mulher. Se o seu senhor lhe der mulher, e ela der à luz filhos e filhas, a mulher e seus filhos serão do seu senhor, e ele sairá sozinho. Porém, se o escravo expressamente disser: Eu amo meu senhor, minha mulher e meus filhos, não quero sair forro. Então, o seu senhor o levará aos juízes, e o fará chegar à porta ou à ombreira, e o seu senhor lhe furará a orelha com uma sovela; e ele o servirá para sempre (Êxodo 21.1-6, *ARA*).

Quando o senhor era amoroso, zeloso e bondoso, após o tempo de escravidão, aquele escravo poderia escolher permanecer na casa do seu senhor. A orelha furada seria a marca, a prova de que aquele escravo estava naquela casa porque desejava estar, e não por obrigação. Quando encontramos a graça e conhecemos a Jesus, não resistimos ao pecado porque o pastor falou, mas porque queremos, amamos e entregamos a nossa vida ao Senhor.

Se soubéssemos hoje que não existe céu ou inferno, apenas Jesus, permaneceríamos seguindo, obedecendo e vivendo em santidade apenas por amor a ele? Continuaríamos sendo fiéis à nossa esposa, bons pais e cidadãos honestos? Quando amamos a Jesus, não importa se estamos livres de condenação eterna, permanecemos em obediência por amor a ele, porque escolhemos ser os escravos de orelha furada dele. Ele nos libertou da escravidão; mas, por amor, decidimos ser escravos dele.

Quando somos escravos de Cristo, nossa esposa, nossos filhos, pessoas à nossa volta começam a perceber uma mudança. Essa transformação é resultado da nossa decisão de seguir e nos tornar cada vez mais parecidos com Jesus.

A maioria de nós está nesta maratona. Ainda não alcançamos aquilo que desejamos, não estamos prontos, mas devemos permanecer firmes, sem deixar o Diabo ou pecado nos tirar da corrida, da maratona do Senhor para nós. Podemos até tropeçar no meio da corrida, mas devemos recalcular a rota, acertar o passo e correr para completá-la, pois desistir não é uma opção para aqueles que sabem por quem foram alcançados: Jesus!

“Fomos criados para sermos
semelhantes a Deus e,
para isso, precisamos ser
santos como ele é.”

TELMO MARTINELLO

ENCONTRE O FAVOR DO REI

Esdras era um homem que certamente gostaríamos de ter ao nosso lado; um encorajador, de moral elevada, um construtor, um homem que acreditava nas pessoas, mas também tinha credibilidade devido à firmeza e consistência da sua própria vida. Podemos dizer que ele era alguém pronto para a guerra, alguém que levantava as pessoas, que corrigia, mas também impulsionava. Esdras tinha um coração reconciliador, construtor e reconstrutor. Ele se dedicou a ajudar o segundo grupo de exilados a retornar para Jerusalém. Ele é a representação perfeita de pessoas cujo coração se dispõe a ajudar e impulsionar outros, pessoas que nos arrancam da nossa zona de conforto e nos fazem acreditar que podemos, que somos capazes.

> Este Esdras veio da Babilônia. Ele era um escriba que conhecia muito a Lei de Moisés dada pelo Senhor, o Deus de Israel. O rei lhe concedera tudo o que ele tinha pedido, pois a mão do Senhor, o seu Deus, estava sobre ele. Alguns dos israelitas, inclusive sacerdotes, levitas, cantores, porteiros e servidores do templo, também foram para Jerusalém no sétimo ano do reinado de Artaxerxes. Esdras chegou a Jerusalém no quinto mês do sétimo ano desse reinado. No dia primeiro do primeiro mês ele saiu da Babilônia, e chegou a Jerusalém no primeiro dia do quinto

mês, porquanto a boa mão de seu Deus estava sobre ele. Pois Esdras tinha decidido dedicar-se a estudar a Lei do Senhor e a praticá-la, e a ensinar os seus decretos e mandamentos aos israelitas (Esdras 7.6-10).

Como lemos, Esdras era um escriba que tinha muito conhecimento acerca da Lei de Moisés, mas havia crescido na Babilônia. Ele nem "cresceu no mundo gospel" nem nasceu na igreja, sequer fez teologia ou possuía "pedigree". Ele não nasceu ou cresceu em um ambiente que consideramos propício, mas se tornou um sacerdote e um escriba versado da Lei. Seu nome, dentre algumas traduções, pode significar "ajuda", do original '*Ezra*, como "Jeová ajuda", caso seja uma abreviação de '*Azaryahu*. Podemos dizer que Esdras foi um grande reformador em seu tempo. Naquela época, os escribas eram funcionários destinados a exercer funções administrativas do governo, como: atuar no controle de alistamento de contingente; desempenhar funções literárias, como a redação de documentos e crônicas; fazer cópias de textos sagrados ou alguma atividade relacionada ao palácio.

A primeira lição que aprendemos com esse breve histórico sobre as características e especificidades da vida de Esdras é que não importa onde nascemos, se temos uma família rica ou uma família menos favorecida, se temos muitas ou poucas posses, o que precisamos é conhecer a nossa origem e identidade em Deus. Quando não conhecemos a nossa origem e identidade, somos facilmente manipulados pelos ambientes e cenários em que crescemos, pelos lugares que estamos; pois, quando não estamos firmados em nossa identidade e não temos convicção de quem somos, acabamos moldados pelo ambiente que nos cerca.

Daniel exemplifica perfeitamente a importância de saber quem somos e de conhecer a nossa origem. Mesmo estando na Babilônia, um dos piores lugares para estar em sua época, Daniel não se contaminou. O rei havia ordenado ao chefe dos oficiais da corte que trouxesse alguns dos israelitas da família real e da nobreza, jovens sem defeito físico, de boa aparência, cultos, inteligentes, que dominassem os vários campos do conhecimento e fossem capacitados para servir no palácio do rei. Entre esses jovens, estavam Daniel, Ananias, Misael e Azarias, cujos nomes em hebraico significavam: Daniel, "Deus é meu Juiz"; Ananias, "Yahweh é misericordioso"; Misael, "ninguém se compara a Deus"; e Azarias, "Yahweh é meu socorro". Mas o chefe dos oficiais decidiu dar novos nomes a eles: a Daniel chamou Beltessazar, que em babilônico quer dizer "Bel proteja sua vida"; a Ananias denominou Sadraque, "amigo do rei"; a Misael nomeou Mesaque, "quem é como o deus Lua?", e a Azarias deu o nome de Abede-Nego, "servo do deus Mercúrio".

Assim que Daniel chegou àquele ambiente hostil, a primeira ação do Inimigo foi tentar alterar a sua identidade e o seu caráter com um novo nome pelo qual ele seria chamado ali. Mas sabemos que nem ele, nem seus amigos se corromperam, porque conheciam ao Deus dos seus pais. Daniel não se contaminou, não perdeu a essência, porque tinha uma paternidade resolvida, sabia quem era, conhecia a sua origem; então, continuou servindo ao Deus dos seus pais. Não conhecemos ou encontramos na Bíblia o nome dos pais dele, mas sabemos que o seu comportamento resultou da fé que ele viu os pais exercerem, uma fé que fez que Daniel permanecesse fiel na Babilônia, porque servia ao Deus dos seus pais.

Podemos ser pais que viverão no anonimato, mas temos a oportunidade de formar uma geração de Lutero, de Daniel, de Ester, de homens e mulheres de honra, que farão a diferença. Ainda que o nosso próprio nome não seja conhecido, deixaremos uma descendência que ecoará aos quatro cantos da terra. O segredo de um homem não é ser conhecido ou ficar famoso, mas deixar um legado na vida de alguém, continuar existindo através da vida dos filhos que gerou.

Da mesma forma, percebemos que Esdras também tinha uma identidade firmada, pois nasceu na Babilônia. Contudo, isso não significa que pertencia àquele povo, pois Esdras conhecia a sua origem, conhecia a verdade sobre a sua herança e linhagem sacerdotal.

Muitos homens não conseguem vencer pecados e vícios, superar limitações, romper com o ciclo de maldição ou heranças familiares porque estão com a mentalidade do ambiente em que cresceram. Não compreendem onde foram gerados, pois fomos gerados no coração de Deus. Muitos não compreendem que Efésios 1 diz que Deus nos encolheu antes da fundação do mundo, ou seja, antes de sermos gerados na barriga das nossas mães, fomos gerados no coração de Deus. Quando entendemos isso e alcançamos a mentalidade de filho, nosso comportamento é transformado. Quando a nossa mentalidade muda, a nossa atitude também é modificada; ao mudar a forma como vemos a nós mesmos, nosso comportamento é alterado.

Dois irmãos podem ter vidas totalmente diferentes, ainda que tenham a mesma justificativa: a vida e o exemplo que o pai deixou a eles. Um pode ser adúltero, viciado e violento porque o pai foi assim. Mas o outro pode viver sem colocar uma gota de álcool na boca, ser íntegro, correto e fiel pelo mesmo motivo, para não ser aquilo que viu o pai ser. Os dois tiveram a mesma educação, a mesma experiência e o mesmo exemplo. Um olhou e entendeu que aquilo era maldição e escolheu não seguir o mesmo caminho. O outro considerou que nascer e viver daquela maneira determinava o seu destino. Muitos pensam que, por terem nascido na Babilônia, não há alternativa para eles, que essa é a vida e o caminho que eles devem percorrer, pois não existe saída. Outros entendem que a Babilônia é algo que veio até eles, mas que, a partir deles, dos seus filhos, a história será diferente; afinal, se os pais traíram, foram viciados e destruíram as suas vidas, eles trilharão um caminho melhor, deixando um legado de honra e restauração.

Muitos homens, apesar do exemplo que tiveram, escolheram ser fiéis às suas esposas, cuidar dos seus filhos, viver uma vida justa e correta, porque decidiram não se contaminar pelo ambiente em que cresceram. Alguns foram levados à zona de prostituição pelos próprios pais, mas hoje entenderam que homem de verdade tem uma única mulher, é fiel, se guarda para a sua esposa, não precisa viver a mesma desgraça que seus pais ou avós viveram, pois encontraram a luz; e a luz muda a história de qualquer homem.

Algumas coisas só podemos enxergar se formos alcançados pela luz; se ela não brilhar, não conseguimos ver. Uma das coisas que enxerguei após a minha conversão foi que eu estava, mesmo que inconscientemente, repetindo alguns erros do meu pai. Erros idênticos, coisas que eu havia decidido fazer diferente, mas, sem perceber e sem querer agir daquela forma, estava fazendo as mesmas coisas que ele. Eu não queria agir da mesma maneira, muito pelo contrário, mas infelizmente acabamos nos moldando ao ambiente em que crescemos, e o ambiente em que eu havia crescido ainda tinha muita influência sobre mim. Quando percebi que estava repetindo os procedimentos que eu mesmo reprovava no passado, busquei a Deus e pedi que ele moldasse a minha vida, transformasse o meu caráter e o meu comportamento.

Nascer em um lugar propício, estar nos melhores cenários ou contextos, não significa ou garante que sejamos homens melhores. Mas Esdras nos ensina que podemos ser encorajadores mesmo que nunca tenhamos sido encorajados, podemos ser bênção a outros mesmo que ninguém tenha sido bênção para nós, podemos ser livres mesmo que muitos estejam em cadeias, podemos ser homens de Deus ainda que não estejamos no ambiente mais favorável para isso. É possível quebrar as maldições com o nosso posicionamento, pois podemos todas as coisas naquele que nos fortalece.

É importante compreender que a nossa vida não deve ser guiada pelas nossas emoções, mas por nossas decisões. O que define o amanhã é o que faremos diferente de ontem, pois o nosso futuro depende das decisões que tomamos a partir daquilo que Cristo mostra, pois ele é a luz.

Gosto de uma frase de C. S. Lewis que diz: "Eu acredito no cristianismo como acredito no brilho do Sol, não simplesmente porque eu o vejo, mas porque, através dele, posso ver todas as outras coisas". Não creio em Jesus apenas porque um dia fui tocado por ele, mas porque, através dele, posso enxergar as demais coisas. Cristo nos mostra onde estamos e, a partir desse lugar, ele nos transforma.

Quando Deus chegou ao jardim e perguntou onde Adão estava, não foi por não saber a resposta. Ele perguntou, pois Adão precisava saber e reconhecer onde estava. A resposta à pergunta era para que Adão compreendesse a besteira que ele fizera. Adão precisava enxergar a sua desobediência, discernir onde estava e as consequências da sua decisão. Ninguém vai a lugar algum sem primeiro saber onde está. A primeira lição sobre orientação, no caso de ficarmos perdidos em uma selva, é antes de ir para qualquer lugar, discernir onde estamos. Na vida, precisamos saber onde e como estamos. Muitas vezes, para nos ajudar a discernir a nós mesmos, Deus nos fará a mesma pergunta que fez para Adão.

Esdras tinha consciência de onde estava e entendeu aquilo que Deus queria para a vida dele. O texto do capítulo 7 diz que "a boa mão", o favor de Deus, estava sobre ele, ou seja, em tudo que colocava as mãos, o favor de Deus conferia a ele prosperidade. Esdras era bem-sucedido em tudo, até mesmo se tentasse vender areia no deserto daria certo, pois o favor de Deus estava sobre a vida dele.

O vento soprava de maneira favorável sobre Esdras, pois sabemos que ele foi atendido em todas as coisas que solicitou ao rei quando partiu para Jerusalém. Mas o que faz o favor de Deus se estabelecer sobre a vida de um homem? O que atrai a boa mão de Deus sobre nós? Um dos versos do texto citado nos dá a resposta, revela o segredo de Esdras. Vimos que Esdras estava decidido a se dedicar a estudar a Lei do Senhor, a praticá-la e a ensinar os seus decretos e mandamentos aos israelitas. Salmos 1 diz que feliz é o homem que não segue o conselho dos ímpios, não imita a conduta dos pecadores nem se assenta na roda dos zombadores. Ao contrário, sua satisfação está na Lei do Senhor, e nessa Lei medita dia e noite. Esdras entendeu que existia uma bênção em conhecer, praticar e ensinar as Escrituras, pois aquele que ama, medita de dia e de noite na Palavra, conhece e permanece na vontade de Deus, nela prospera.

O coração de Esdras estava inclinado ao conhecimento e à prática das Escrituras. Nós sabemos que, quando guardamos a Palavra de Deus, ela nos ajuda a não pecarmos contra ele. Esdras amava as Escrituras, era apaixonado pela Palavra e nela tinha prazer. Muitos podem dizer que não sentem este prazer ou têm essa inclinação pela Bíblia, mas é interessante perceber que Esdras decidiu em seu coração. Ele não sentiu, ele decidiu se dedicar a ela.

Esdras amou e praticou a Palavra, pois a Palavra só tem poder quando a praticamos. O amor é prática, não sentimento. Jesus estabeleceu um crivo para aqueles que o amavam dizendo que aqueles que de fato o amavam, também guardariam os seus mandamentos. Guardar a Bíblia não significa colocá-la na gaveta, mas meditar e colocar em prática aquilo que aprendemos. Podemos concluir que o amor não é sentimento, mas uma prática. Se fosse sentimento, não teria sido um mandamento deixado para nós. Por nós mesmos ou por sentimento jamais seríamos capazes de amar os nossos inimigos. Naturalmente, não somos capazes de amar aqueles que nos perseguem, que nos ferem ou são maus conosco. Mas, apesar disso, decidimos amar, não porque sentimos, mas porque decidimos obedecer ao mandamento.

Muitos homens precisam amar a escolha que fizeram. Se escolhemos nossa esposa, devemos amar a nossa escolha e, se por alguma razão não estamos amando como deveríamos, talvez não estejamos meditando nas Escrituras como precisamos. É a Palavra que vai amolecer o nosso coração e colocá-lo no lugar em que ele deve estar. Precisamos rever o nosso amor e prática das Escrituras. O problema do casamento pode não estar no casamento nem em nós e menos ainda na nossa esposa, mas na falta da decisão de amar até o final, amar a escolha que fizemos. O relacionamento pode esfriar, a paixão esmorecer, mas o amor não, pois o amor se multiplica à medida que o praticamos.

O amor é uma decisão, uma prática, e Esdras decidiu amar e praticar o que aprendeu, pois a Palavra que tem poder sobre nós é aquela que praticamos. A prática valida ou invalida o que falamos: assim como a fé verdadeira é testificada pelas obras, o nosso discurso pode ser belo, pode ser muito bonito, mas, se ele não for sustentado pela nossa prática, perde toda a sua validade. Posso dizer para minha filha que a amo, mas, quando ela me pede para ficar com ela na hora do meu jogo de futebol, é o momento de colocar o meu amor em prática, deixar o futebol de lado para ter um tempo de qualidade com ela.

O amor é muito mais praticável que pensamos, muito mais diário que imaginamos. Esdras amava a Torá, mas também praticava a Torá. A prática não precisa de sentimento, assim como a fé não precisa sentir, a fé sabe. A fé não sente, ela simplesmente sabe. Amar a esposa, amar os filhos, ser um bom profissional, ser generoso, ser dizimista, ser gentil, jejuar, orar, ser fiel no casamento, ser honesto nos negócios, orar por quem nos persegue, não ser maldizente, todos esses são exemplos de coisas praticáveis que demonstram o amor de um coração que guarda os mandamentos de Jesus.

Além de amar e praticar a Palavra, Esdras ensinou as Escrituras. Não podemos ensinar aquilo que não aprendemos, menos ainda algo que não praticamos. Não raramente queremos falar de amor para os nossos filhos, mas eles nos veem sendo indelicados com a nossa esposa. Queremos ensinar nossos filhos para que não bebam, não fumem, mas deixamos que a bebida e o cigarro tenham espaço em nossa vida. Desejamos que os nossos filhos sejam homens de honra, mas agredimos a nossa esposa. Queremos falar de Jesus para as pessoas, mas somos uma fraude no trabalho, mentimos, realizamos negociações desonestas. Vivemos o oposto daquilo que aprendemos e ainda queremos prosperar. Precisamos entender que só podemos ensinar depois que amamos, estudamos e praticamos as Escrituras.

Esdras ensinava com a própria vida. A maioria de nós deseja acertar, mas Esdras não apenas desejava acertar, ele inclinava e dedicava o seu coração para isso. O apóstolo Luiz Hermínio costuma dizer que não devemos seguir o nosso coração, mas guiá-lo, pois o coração do homem é enganoso.

Quando decidimos lutar, levantar para edificar ou reconstruir a nossa casa, como Esdras fez com Jerusalém, quando nos posicionamos para amar, praticar e ensinar a Palavra, contaremos com o favor do Rei.

> O coração do rei é como um rio controlado pelo Senhor; ele o dirige para onde quer (Provérbios 21.1).

O coração do rei se inclinou para Esdras porque o favor de Deus estava sobre ele. Quando nos dedicamos a conhecer, praticar e ensinar a Palavra, Deus inclina corações e nos confere favor diante deles.

O segredo para alcançar as coisas que precisamos não está no favor dos homens, está em ter o favor de Deus sobre a nossa vida. Quando vamos ao coração de Deus, ele move o do homem, inclina o coração que for necessário para nos abençoar, para que possamos alcançar o favor que precisamos.

Muitas vezes, quando desejamos promoção profissional, provisão, recurso, buscamos no homem, no chefe ou no patrão, mas são lugares errados. Esdras obteve o favor do céu buscando a Deus, meditando na Palavra, praticando a Palavra e ensinando a Palavra. Foi a postura de Esdras em relação a Deus que trouxe o favor do alto sobre ele; a inclinação dele ao Senhor que fez Deus inclinar o coração do rei para ele. Com o coração do rei na mão, Deus decidiu incliná-lo ao menino, sacerdote e escriba que se prostrava diante dele.

Não adianta esperar que Deus toque no coração dos homens que podem nos favorecer e nos abençoar enquanto não decidimos buscar o coração de Deus. Quando buscamos o coração de Deus, ele move o coração do rei. Enquanto estamos diante dele, ele mesmo movimenta as coisas com a sua boa mão.

Não precisamos buscar recursos em nada desta terra, pois, independentemente do recurso que buscamos, devemos buscá-lo em Deus. Só o Senhor pode mover e inclinar corações na terra, basta aprendermos, praticarmos e ensinarmos a sua Palavra.

O segredo não está em buscarmos os reis da terra, mas em buscarmos o Rei dos reis, o Senhor do senhores, pois ele tem o poder sobre os reis da terra. Quando buscamos e agradamos ao Rei dos reis, encontramos o favor dos reis e das autoridades terrenas.

Devemos amar, praticar e ensinar as Escrituras, estarmos com nosso coração inclinado a ele, pois é nesse lugar que encontramos o favor do Rei.

“

O segredo não é ser
conhecido ou ficar famoso,
mas deixar um legado
na vida de alguém.

”

Telmo Martinello

HOMEM, COLOQUE SUA ARMADURA

Meninos fogem das guerras, homens não. Não podemos negar ou negligenciar a existência do mal, pois o próprio Jesus, quando nos deixou um modelo de oração, alertava sobre a necessidade de identificarmos e nos mantermos ilesos através da oração. Ao orar "Pai, livra-nos do mal", Jesus dava uma direção, estabelecia um princípio para não negligenciarmos a realidade das trevas e da batalha espiritual que nos cerca. Uma guerra que atua em nossas próprias paixões e carnalidade, uma guerra que é nossa, pois existe um poder destrutivo, um mal que combate conosco.

Umas das maneiras de nos livrarmos da ação do Inimigo e nos protegermos nessa guerra é conhecer a forma como ele atua. No futebol, os técnicos estudam as estratégias do time adversário para tentar burlar ou enfraquecer o resultado dessas estratégias. Ao saber como o time adversário joga, é possível neutralizar o oponente. Em Mateus 4, temos uma demonstração exata de como o Inimigo atua. O trecho descreve as estratégias do Maligno contra nós, nossos filhos, esposa, finanças e tudo o que diz respeito a nós.

> Jesus foi levado pelo Espírito ao deserto, para ser tentado pelo Diabo. Depois de jejuar quarenta dias e quarenta noites, teve fome. O tentador aproximou-se dele e disse: "Se você é

o Filho de Deus, mande que estas pedras se transformem em pães". Jesus respondeu: "Está escrito: 'Nem só de pão viverá o homem, mas de toda palavra que procede da boca de Deus'". Então o Diabo o levou à cidade santa, colocou-o na parte mais alta do templo e lhe disse: "Se você é o Filho de Deus, jogue-se daqui para baixo. Pois está escrito: 'Ele dará ordens a seus anjos a seu respeito, e com as mãos eles o segurarão, para que você não tropece em alguma pedra'". Jesus lhe respondeu: "Também está escrito: 'Não ponha à prova o Senhor, o seu Deus'". Depois, o Diabo o levou a um monte muito alto e mostrou-lhe todos os reinos do mundo e o seu esplendor. E lhe disse: "Tudo isto lhe darei, se você se prostrar e me adorar". Jesus lhe disse: "Retire-se, Satanás! Pois está escrito: 'Adore o Senhor, o seu Deus e só a ele preste culto'". Então o Diabo o deixou, e anjos vieram e o serviram (Mateus 4.1-11).

A primeira coisa que aprendemos no texto é que Jesus foi levado ao deserto pelo Espírito, e não pelo Maligno. Todavia, Jesus foi tentado pelo Diabo, ou seja, o Diabo é o tentador, o adversário, o opositor. O Diabo é aquele que se opõe a tudo que nos conduz a Deus, a tudo que se refere às coisas do alto. Suas estratégias e tentações têm um propósito bem definido: afastar o homem de Deus. Tudo que Satanás faz é com o objetivo de nos separar do Senhor. Qualquer coisa capaz de nos separar de Deus, o Diabo é capaz de nos dar. É importante lembrarmos que nem tudo que nos separa de Deus é ruim. Por isso, devemos ser cuidadosos com aquilo que é bom, mas que nos separa do Senhor. Deus está disposto a nos dar coisas que estamos dispostos a devolver. Quando não estamos dispostos a devolver algo para ele, não estamos prontos para ganhar ou adquirir tal coisa.

No livro de Tiago, aprendemos que somos tentados por nosso próprio desejo, ou seja, as tentações que sofremos resultam dos desejos e cobiças que abrigamos em nós. Não somos tentados por algo externo, mas pelo que está em nosso interior. Satanás atua para externar essas mazelas. Somos tentados a andar de carro novo, roupas caras e artigos de luxo, mesmo que muitas vezes isso custe o nosso tempo com a família, a atenção que deveríamos dar aos nossos filhos e esposa, ou a honra de pagar as nossas contas.

Muitos casamentos estão se desfazendo devido à falta de atenção e apreço dos maridos, não por traição ou conduta imoral, mas pela ausência que gerou divisão, que, por sua vez, gerou erosão, ou seja, desgastou o relacionamento. O Inimigo não costuma diversificar muito suas estratégias, ele não é criativo, mas é perseverante, como podemos observar no texto seguinte:

> Aumentem a carga de trabalho dessa gente para que cumpram suas tarefas e não deem atenção a mentiras (Êxodo 5.9).

A estratégia do inimigo era aumentar o trabalho para que o povo não pudesse dar atenção à Palavra de Deus. O trabalho é uma bênção, mas o acúmulo de tarefas, o excesso de trabalho, é uma estratégia do Diabo para enfraquecer os filhos de Deus.

Somos tentados de várias maneiras, em nosso agir, falar, olhar, somos tentados pelos laços da "mulher sedutora", como vemos em Provérbios:

> Com a sedução das palavras o persuadiu, e o atraiu com o dulçor dos lábios. Imediatamente ele a seguiu como o boi levado ao matadouro, ou como o cervo que vai cair no laço até que

> uma flecha lhe atravesse o fígado, ou como o pássaro que salta para dentro do alçapão, sem saber que isso lhe custará a vida (Provérbios 7.21-23).

A mulher sedutora tem o poder de colocar o homem em um lugar de embriaguez, roubando a sua sobriedade. Sua ação é tão perigosa, que conduz o homem a um caminho de morte sem que ele perceba.

Sabemos que o salário do pecado é a morte. O grande problema é que o Tentador também sabe disso, e trabalha para nos conduzir ao pecado, e, ao pecarmos, tenhamos direito ao salário proporcional aos pecados que cometemos. Todo pecado começa na mente, desce ao coração e termina nas mãos. Quando esse ciclo se completa, adquirimos o direito do salário do pecado, que é a morte, o Inimigo vem para garantir que possamos desfrutar dele. Jesus também orou para ser livre da tentação, exemplificando como devemos orar, pois ser tentado não é pecado; pecado é dizer sim para a tentação.

A tentação não é pecado. Pecado é ignorar tudo que Jesus fez por nós na cruz. Deus não nos prometeu glória neste mundo, mas no mundo vindouro. Toda glória mundana e passageira que nos é prometida, é promessa do Tentador, não do Senhor. Quando cedemos à tentação, concebemos o pecado. Uma vez em pecado, apenas o arrependimento tem o poder de interromper o trabalho para que não haja o salário merecido.

A única maneira de ser livres do pecado é estarmos preparados, equipados, vestidos com armadura e escudo apropriados para vencer as guerras.

> Vistam toda a armadura de Deus, para poderem ficar firmes contra as ciladas do Diabo, pois a nossa luta não é contra pessoas, mas contra os poderes e autoridades, contra os dominadores deste mundo de trevas, contra as forças espirituais do mal nas regiões celestiais. Por isso, vistam toda a armadura de Deus, para que possam resistir no dia mau e permanecer inabaláveis, depois de terem feito tudo. Assim, mantenham-se firmes, cingindo-se com o cinto da verdade, vestindo a couraça da justiça e tendo os pés calçados com a prontidão do evangelho da paz. Além disso, usem o escudo da fé, com o qual vocês poderão apagar todas as setas inflamadas do maligno. Usem o capacete da salvação e a espada do Espírito, que é a Palavra de Deus. Orem no Espírito em todas as ocasiões, com toda oração e súplica; tendo isso em mente, estejam atentos e perseverem na oração por todos os santos (Efésios 6.18).

O texto de Efésios 6 sinaliza algumas partes da armadura que são importantes para nos mantermos vitoriosos. A primeira delas é o cinturão da verdade, ou seja, a mentira não deve ter espaço em nossa vida. Jamais devemos mentir para a nossa esposa, filhos, em nossa casa ou trabalho, pois toda mentira vai exigir outra mentira, assim como um abismo chama outro abismo. Precisamos compreender que a verdade é um cinturão que protege áreas vitais da nossa vida, lugares e órgãos vitais para nós.

A couraça da justiça nos fala sobre equilíbrio. Podemos definir justiça como generosidade. A justiça nos remete ao equilíbrio e à generosidade, pois não podemos pensar apenas em nós mesmos, mas praticar atos de justiça e atos de bondade com aqueles que nos cercam. Podemos olhar para tudo que temos e ser generosos com as pessoas que precisam, basta pararmos de buscar apenas para nós mesmos. A generosidade e bondade que manifestamos às pessoas é uma couraça, uma proteção sobre nós. Biblicamente, Deus ouve a oração daqueles que abençoam os pobres, que compartilham com aqueles que nada têm.

O testemunho que damos, além de revelar a nossa fé, representa as sandálias do evangelho. Devemos falar menos e viver mais, ser luz e sal, pregar com as nossas atitudes e, quando necessário, usar palavras.

O escudo da fé, outro elemento fundamental para permanecermos firmes, requer que entendamos o significado original da palavra "fé", que é fidelidade. Ou seja, devemos ser fiéis a Deus, fiéis às nossas escolhas, vivendo com hombridade, como homens de palavra, que cumprem horários e vivem com fidelidade em todas as esferas de suas vidas.

A outra parte da armadura, o capacete da salvação, nos lembra da importância de confiarmos na graça, pois a salvação não é mérito nosso, mas bondade de Deus. Precisamos estar cobertos pela graça, naquilo que nos desafia e para aquilo que nos fere. Precisamos estar cobertos pela graça, pois ela nos basta e, nas fraquezas, é a graça que nos faz fortes.

Por último, a espada da Palavra. Andar com a espada da Palavra é ser um homem fundamentado nela. Não existe estratégia mais eficaz contra as astutas ciladas de Satanás que conhecer as Escrituras, conhecer aquilo que Deus diz sobre nós, ter o conhecimento dos padrões bíblicos para tratar os funcionários, patrões; enfim, todas as pessoas ao nosso redor.

Existe um texto muito conhecido, que nos aponta um lugar de proteção, em Salmos 91.

> Aquele que habita no abrigo do Altíssimo e descansa à sombra do Todo-poderoso pode dizer ao Senhor: Tu és o meu refúgio e

a minha fortaleza, o meu Deus, em quem confio. Ele o livrará do laço do caçador e do veneno mortal (Salmos 91.1-3).

Precisamos compreender que estar à sombra dele é fundamental para permanecermos livres dos laços mortais. Estar no esconderijo do Senhor não é opção, é uma necessidade. Independentemente do laço que tenta enredar os nossos pés, o escape é o mesmo para todos: habitar no esconderijo do Altíssimo. Habitar nesse lugar não é estar na igreja, mas andar na presença de Deus, em um só espírito com o Espírito Santo, reconhecer nossas falhas, sabendo que temos limites e não podemos ficar expostos.

Habitar no esconderijo do Altíssimo é reconhecer que afastados de Deus somos fracos, traímos e pecamos com facilidade, nos iramos facilmente, somos cruéis e violentos. Habitar nesse lugar é reconhecer que precisamos estar cobertos por ele. Quando saímos do esconderijo do Altíssimo, os laços nos prendem.

Não podemos permitir que o tentador nos roube desse esconderijo. Precisamos estar nesse lugar, vestidos da armadura de Deus, para permanecermos livres e posicionados onde Deus nos colocou. Homem, coloque hoje a sua armadura e habite nesse lugar de proteção e livramento, à sombra do Altíssimo.

“A única maneira de viver livre do pecado é estar preparado, equipado, vestido com armadura e escudo apropriados para vencer as guerras.”

Telmo Martinello

HOMEM, COLOQUE A SUA CASA EM ORDEM

Muitos que conhecem o nosso ministério, que caminham conosco, sabem que considero e costumo apontar a família como o nosso primeiro ministério. Esse é o leme que norteia a minha própria vida, mas também que costumo ministrar para os homens com frequência. Esse é um balizador para mim, para a minha vida pessoal, para o sacerdócio que exerço dentro da minha casa e também para a minha conduta enquanto ministro do evangelho.

Podemos concluir que a família é o nosso primeiro ministério. Ministério, biblicamente, significa serviço, ou seja, onde servimos, onde abençoamos as pessoas com os dons, talentos e recursos que temos. Então, de acordo com a Bíblia, ministério é pegar um balde e uma toalha nas mãos e servir as pessoas; pois, no Reino de Deus, maior é aquele que serve; o maior ministro é aquele que serve mais e com mais excelência.

A família deve ser o primeiro ministério de um homem, o primeiro ambiente em que um homem de Deus, um homem que encontrou a cruz de Cristo, servirá. Para um homem de Deus, a família será o principal lugar onde ele será um servo. A prioridade dele não serão púlpitos ou microfones, holofotes ou redes sociais, mas sim a família. A importância da família é indiscutível, pois ela é como o fundamento de um edifício, se conseguirmos comprometer, danificar ou deteriorar a coluna, o fundamento, todo edifício vai ao chão. Não é preciso bater em um edifício para condená-lo, basta comprometer suas colunas, seu fundamento.

A família é essa coluna, seja na sociedade seja na igreja, ela é esse fundamento. Isso é tão sério que, em Hebreus 11, lemos que Noé, inspirado por Deus, construiu uma arca para salvar não a sociedade, mas a sua família. Costumamos pensar que Noé fez a arca para salvar a humanidade, mas a arca que ele construiu foi para salvar a sua família. Em Êxodo, quando o cordeiro era morto na Páscoa, o sangue era aspergido sobre os umbrais das portas de cada família, ou seja, para cada família um cordeiro que tipificava o próprio Cristo, morto para salvaguardar a família. Na perspectiva do céu, as famílias têm tanta relevância que a Bíblia diz que, em Abraão, foram benditas todas as famílias da terra, não todas as igrejas da terra.

De Gênesis a Apocalipse, Deus preservou a família, pois ela é a coluna, a base de uma sociedade saudável. Quando a família é doente, a sociedade é doente; mas, se a família é saudável, a sociedade é saudável. Quando a família é curada, a igreja é curada; mas, quando a família é doente, a igreja é doente. Muitas vezes, queremos sarar a igreja, mas não nos preocupamos em como está a família, que é a fonte do rio; de nada adianta tentar limpar o rio se a fonte está suja. Quando cuidamos e limpamos a fonte, todo rio estará limpo. A família é a célula-mãe, a base de uma sociedade, o processo inicial civilizatório foi uma família. É justamente por isso que as trevas militam contra ela; pois, se destruírem a família, conseguem destruir tudo. Quando a fonte é contaminada, todo o rio será comprometido.

Quando um pai sai de casa, deixa os filhos órfãos, o espírito de orfandade gera um buraco no coração dos filhos, e esse buraco ou lacuna será a porta de entrada para as drogas, depressão, maledicência e todo tipo de violência. Certa vez, ouvi em uma pregação que, no Brasil, segundo pesquisas, 35% dos brasileiros não têm o nome do pai registrado na certidão de nascimento ou carteira de identidade, ou seja, cresceram sem figura paterna em suas vidas, o que certamente gerou uma lacuna terrível no interior deles.

Uma família em desordem gera desordem. Dentro do princípio da família, existem duas organizações descritas na Bíblia como criadas por Deus: família e igreja. Tanto na igreja quanto na família, podemos observar que Deus colocava os homens em um lugar de governo, sendo o cabeça da casa. A mulher tem inúmeras facetas e virtudes que ultrapassam algumas características dos homens, mas o governo Deus confiou a nós. Não se trata de valores, pois ambos são iguais diante de Deus, mas a posição de cada um é diferente.

Os homens precisam compreender que têm posição de governo. A mulher tem uma visão detalhista e minuciosa, virtudes inúmeras, mas a mentalidade de governo precisa contemplar o macro, e não o micro, precisa ver o todo, não se prender aos detalhes. Deus deseja nos dar autoridade; mas, antes que isso aconteça, precisamos nos submeter ao senhorio de Cristo, pois só tem autoridade aquele que aprendeu a se submeter à autoridade.

Ezequias era um homem de governo, de autoridade, mas recebeu a notícia de que seus dias estavam terminando sobre a terra, e era necessário estabelecer a ordem:

> Naquele tempo Ezequias ficou doente, e quase morreu. O profeta Isaías, filho de Amós, foi visitá-lo e lhe disse: "Assim diz o Senhor: Ponha em ordem a sua casa, pois você vai morrer;

não se recuperará. Ezequias virou o rosto para a parede e orou ao Senhor: "Lembra-te, Senhor, como tenho te servido com fidelidade e com devoção sincera. Tenho feito o que tu aprovas". E Ezequias chorou amargamente. Antes de Isaías deixar o pátio intermediário, a palavra do Senhor veio a ele: "Volte e diga a Ezequias, líder do meu povo: 'Assim diz o Senhor, Deus de Davi, seu predecessor: Ouvi sua oração e vi suas lágrimas; eu o curarei. Daqui a três dias você subirá ao templo do Senhor'" (2Reis 20.1-5).

Esse texto reforça a seriedade com a qual precisamos enxergar a nossa família, nossa casa e aqueles que Deus confiou a nós. O texto mencionado nos ajuda a entender que Ezequias, apesar de ser um homem de Deus, um homem íntegro, precisava colocar a sua casa em ordem.

Talvez, como muitos de nós, ele vivia bem, tendo alcançado sucesso, ganhado fama, obtido vitórias, mas estava com a sua casa em desordem, ganhava batalhas lá fora, mas perdia dentro de casa. É importante lembrar-se que vitórias externas não justificam derrotas internas.

Era necessário que Ezequias colocasse a sua casa em ordem, e a palavra que ele recebeu não estava relacionada com a organização de quartos, mobílias ou estrutura física, mas com a estrutura familiar. Tratava-se de uma organização de vida e prioridades.

Até para morrer, precisamos estar com a nossa casa em ordem. Determinar uma ordem significa colocar as coisas dentro de uma escala de importância, pois só priorizamos aquilo que é importante para nós. Dessa forma, é vital compreendermos a importância das pessoas e coisas da nossa vida.

Colocar a casa em ordem implica ordenar prioridades. Não podemos priorizar aquilo que nos deixa felizes, mas aquilo que nos torna mais fortes. Um tempo jogando futebol com os amigos pode nos alegrar; mas, quando dedicamos tempos aos nossos filhos, ficamos mais fortes. Pregar cinco vezes na semana pode nos conferir fama, mas sair para jantar com a nossa esposa deixará o nosso casamento mais sólido, e crise alguma pode abalar um casamento que adquiriu solidez.

A crise chega para todos. Muitos são pegos despreparados, pois não priorizam as disciplinas espirituais. Precisamos priorizar aquilo que nos confere força para enfrentar as crises e intempéries da vida, pois a plantação determina a colheita. Se não pensarmos no amanhã, não plantamos hoje, comprometendo as colheitas futuras.

Dentre tantas, existem quatro áreas nas quais devemos nos empenhar para estabelecer ordem, e a primeira delas representa os nossos relacionamentos. Colocar os nossos relacionamentos em ordem é perdoar e pedir perdão. Muitos relacionamentos podem estar em desordem, muitos podem estar sem falar com familiares, pais, filhos ou amigos por anos, e isso é desordem. Devemos honrar quem desonramos, pedir perdão pelos relacionamentos rompidos erroneamente, pedir perdão por termos saído de casa ou de situações desonrando pessoas, precisamos sarar, pois sair para guerra sangrando custará a nossa vida.

A segunda área na qual precisamos estabelecer ordem é em finanças. Nossas finanças precisam estar em ordem, não podemos ser negligentes ou preguiçosos, devemos ser financeiramente organizados, pagar aquilo que devemos antes de comprar coisas que não precisamos. Investimos em tantas coisas e, muitas vezes, a falta de organização financeira nos impede de depositar o melhor das nossas finanças em nossa esposa, filhos e família. Nossos relacionamentos devem ter nossos maiores investimentos financeiros.

A terceira área que precisa ser ordenada é a nossa paternidade, sermos verdadeiramente pais presentes, que não permitem que a orfandade sequestre o coração dos nossos filhos. Não podemos deixar que eles sejam órfãos de pais vivos. Precisamos ser bons pais e colocar a nossa paternidade em ordem. Se você ainda não é pai, a paternidade pode ser colocada em ordem ainda enquanto filho, pois a plantação de hoje será colhida amanhã. Podemos honrar, pedir perdão e estabelecer reconciliação com os nossos pais.

A quarta área que precisamos ordenar são as nossas funções. É importante discernirmos e estabelecermos ordem em nossas funções. Não devemos negligenciar nada que nos foi confiado, precisamos assumir a nossa função de governo em cada esfera de autoridade que Deus nos colocou.

Nossas prioridades devem estar alinhadas. Uma das maneiras de sermos fiéis às prioridades da nossa vida é termos clareza do que deve ser priorizado. Existe uma lista que costumo pontuar que nos ajuda nessa escala de prioridade. Mesmo que muitos não entendam, o primeiro lugar nessa escala de prioridade é da família. Em segundo lugar, vem o nosso trabalho. Em terceiro, o nosso ministério. Para o espanto de muitos, Deus não entrou em primeiro lugar na escala acima, mas ele não entrou por não ser prioridade, mas porque eles é a lista.

Colocar a nossa casa em ordem é estabelecer as prioridades certas, colocar ordem em nossa lista, alinhar e organizar as prioridades desornadas. Que sejamos homens que recebem sabedoria e força para colocar e manter a nossa casa em ordem, viver muitos anos para ver o legado que deixamos na vida daqueles que virão a partir de nós. O futuro começa agora. Homem, coloque a sua casa em ordem hoje.

“A família é a base da sociedade e é justamente por isso que as trevas militam contra ela. Se destruírem a família, conseguem destruir tudo. Quando a fonte é contaminada, todo o rio está comprometido.”

Telmo Martinello

HOMEM, PEGUE A SUA ESPADA

A Palavra de Deus é uma espada que corta aquele que fala e aquele que ouve. Também uma espada que corta com óleo, para que sejamos cortados e não machucados. Quando somos atingidos pela espada da Palavra de Deus, ela remove o que precisa ser arrancado, mas também coloca o que precisa ser acrescentado em nós.

Se existe algo que a Bíblia não omite é a nossa humanidade. Ela revela e deixa exposta a humanidade e os pecados de todos. Com Davi não foi diferente. Os versos de 2Samuel exemplificam isso perfeitamente:

> Na primavera, época em que os reis saíam para a guerra, Davi enviou para a batalha Joabe com seus oficiais e todo o exército de Israel; e eles derrotaram os amonitas e cercaram Rabá. Mas Davi permaneceu em Jerusalém. Uma tarde Davi levantou-se da cama e foi passear pelo terraço do palácio. Do terraço viu uma mulher muito bonita tomando banho, e mandou alguém procurar saber quem era ela. Disseram-lhe: "É Bate-Seba, filha de Eliã e mulher de Urias, o hitita". Davi mandou que a trouxessem, e se deitou com ela, que havia acabado de se purificar da impureza da sua menstruação. Depois, voltou para casa. A mulher engravidou e mandou um recado a Davi, dizendo que estava grávida (2Samuel 11.1-5).

Os versos falam de Davi, um grande homem conhecido por ser rei de Israel. Aquele que derrubou e matou o gigante Golias, conhecido e descrito pela Bíblia como um homem segundo o coração de Deus. Davi era, sem dúvida, um homem de Deus. Contudo, ele também tropeçou, cometeu erros e pecados gravíssimos.

Mesmo sendo rei, ungido para essa função e exercendo o seu reinado, mesmo conhecendo o Senhor, Davi tropeçou gravemente. Seus piores erros não aconteceram antes que ele conhecesse a Deus ou, como diríamos hoje, antes de ser convertido. Ele pecou e transgrediu mesmo após conhecer o Senhor e ser chamado por ele para propósitos específicos do seu tempo.

Como lemos, estando em seu terraço, Davi avistou uma bela mulher, desejou estar com ela, mandou chamá-la e se deitou com ela, mesmo sabendo que era a esposa de um soldado leal que estava no campo de batalha em favor do seu reino. Davi foi desleal com alguém leal a ele. Quando observamos esse relato, apesar de percebermos no rei muitos desvios, como a falta de hombridade, a falta de caráter, a falta de fidelidade e tantas outras características que um homem de Deus deve apresentar —, podemos reconhecer alguns sinalizadores acerca de caminhos e escolhas que devemos evitar para não cairmos como Davi.

Não é porque a Bíblia deixa explícito as falhas, os erros e pecados dos grandes homens de Deus, revelando suas crises e quedas, que faremos as mesmas escolhas ou seguiremos os mesmos caminhos. Pelo contrário, servem como lição para que não sofúltimos a mesma queda e não corramos o risco de tropeçar da mesma maneira.

Sabemos que toda a Escritura é inspirada por Deus e útil para o nosso ensino, para a repreensão, para a correção e para a instrução na justiça, para que o homem de Deus seja apto e plenamente preparado para toda boa obra. Então, mesmo quando a Palavra expõe os erros dos homens de Deus, é um alerta para nós. Se Davi, um homem segundo o coração de Deus, tropeçou e caiu, devemos vigiar para não tropeçarmos e cairmos.

Acredito que Davi não acordou naquele dia decidido a pecar, assim como ninguém acorda pensando em matar, adulterar, usar drogas, discutir no trabalho, ferir pessoas. Ninguém acorda decidido a fazer aquilo que Davi fez; mas, aos poucos, alguns sentimentos são nutridos, deixamos de fazer algumas coisas. Um hábito sempre será substituído por outro, e, quando percebemos, pensamos, fazemos e praticamos coisas que não queríamos, adquirimos práticas ou hábitos que nos conduzem à queda.

Davi não subiu ao terraço apenas uma vez. Certamente ele subira outras vezes. Talvez até já tinha visto Bate-Seba em outra ocasião, mas, naquele dia, tropeçou. Davi estava em casa, não estava na rua ou na balada. Mas estar em casa foi justamente o problema, pois aquela era uma época em que os reis saíam para a guerra. Como rei, ele deveria estar na guerra, e não em sua casa.

Era primavera e, como rei, Davi tinha uma responsabilidade naquele período. O problema não foi estar em casa, mas estar ali quando deveria estar na guerra.

O grande problema da maioria dos homens é fazer as coisas em tempos e estações em que elas não deveriam mais ser feitas. A grande problemática da vida é estar fora do tempo, do cronômetro do Senhor, é estar fora dos trilhos de Deus para a nossa vida. Como Paulo exemplificou bem em Coríntios, não podemos mais fazer as coisas que fazíamos quando éramos meninos, pois homens têm atitudes de homens, e crianças fazem coisas de crianças.

Essa comparação entre homens e meninos tem duas conotações. A primeira é a representação espiritual do texto, dizendo que o menino espiritual faz coisas de menino espiritual, pois não sabe discernir, troca os pés pelas mãos, não compreende as Escrituras, está aprendendo a falar, a andar, ainda não tem noção de muitas coisas, seu caráter ainda está em formação. Quando o menino cresce espiritualmente, ele fica maduro, alcança a maturidade e é homem formado, não disputa qualquer coisa, pois sabe quem é e ocupa seu lugar, reconhece seu chamado e não tem necessidade de provar nada para ninguém. A segunda conotação é a natural, ou seja, o curso natural da vida em que criança faz coisa de criança, e homem faz coisa de homem. O problema é que, muitas vezes, ainda que estejamos em épocas de guerra, estamos agindo como meninos.

O Diabo tem sapateado na vida dos nossos filhos, na vida das nossas crianças, dos nossos adolescentes e jovens, e muitos estão despercebidos, sem perceber o quanto as famílias estão sendo atacadas. No Brasil, a idade média de maturidade de um homem é de 48 anos, e isso é alarmante e vergonhoso. Homens de cabelos brancos agindo como bebês gigantes, homens que não assumem o seu lugar na guerra, que não entendem que não haverá compaixão da tropa inimiga, que o Inimigo não está de brincadeirinha com nossos filhos. Precisamos compreender que, como homens, somos os reis da nossa casa, somos Davi em nossa família; com a nossa esposa e filhos formamos exércitos.

Muitos celebram conquistas na rua, mas perdem batalhas dentro de casa. Muitos crescem e ganham guerras lá fora, mas estão perdendo batalhas em seus lares. Muitos homens estão nos terraços e suas famílias, esposas, estão desesperadas, saindo para as guerras sozinhas. Minha esposa tem ouvido inúmeras mulheres relatando que batalham sozinhas, pois seus maridos estão nos terraços, olhando para aquilo que não deveriam olhar.

Tudo aquilo que fazemos no mundo espiritual e natural tem uma colheita, pois toda plantação trará frutos conforme a sua espécie. Davi cometeu um adultério, a mulher engravidou, ele cometeu um assassinato, a criança morreu. A colheita de Davi estava chegando, um problema atrás do outro. A Bíblia diz que um abismo chama outro abismo. Da mesma forma, se não formos sinceros com a nossa esposa, não abrirmos a nossa vida para alguém maduro nos ajudar, continuaremos afundando.

Crianças têm atitudes de crianças, reis fazem coisas de reis. Deus não nos fez para termos mentalidade de escravos ou de meninos. Lemos em Apocalipse 1.6 que ele nos constituiu reis e sacerdotes para servirmos a ele, para termos mentalidade de reis e de filhos de rei, mas, para isso, precisamos de posicionamento.

Ninguém vai colocar uma espada em nossas mãos, pois pegar a espada é responsabilidade nossa. Somos nós que devemos pegar a nossa espada. Talvez muitos homens tenham vivido com pais que faziam tudo para eles, e isso trouxe um grande *déficit*, mais atrapalhou que contribuiu com esses homens, pois muitos são imaturos justamente por isso.

Não raramente, encontramos homens que não sabem ser corrigidos, não conseguem enfrentar desafios e que por pouco caem ou saem do jogo. Homens fracos, que não assumem suas ações, pois uma geração esqueceu de ensinar valores à outra.

Uma geração de pais esqueceu que as dificuldades que passaram ajudou a forjar e fortalecer a vida deles. Sem perceber, privaram os filhos daquilo que poderia fortalecer, amadurecer e prepará-los para uma vida coerente.

O que mais falta para a maioria dos homens de hoje é o crescimento, muitos de nós não tiveram um pai que nos ajudou a crescer. Contudo, assim como Josué teve Moisés, para cada Josué que Deus deseja levantar, também levantará um Moisés, homem mais maduros e comprometido com o nosso crescimento, para ensinar, corrigir, puxar a nossa orelha quando necessário, pois a correção é uma das maiores provas de amor que existem.

O que mais precisamos em nossos dias é posicionamento. Como homens, precisamos estar cientes de que temos famílias para cuidar, que somos o rei em nosso lar, temos um chamado, somos rei e sacerdote. Não podemos mais viver distraídos, andando nos terraços da vida.

Davi era um homem segundo o coração de Deus, mas não fazia aquilo que precisava ser feito; ele perdeu o espírito de guerra, a vontade de congregar, pois congregar é bênção, mas também é guerra. Muitos pensam que não precisam estar na igreja, mas é justamente na igreja que o ferro afia o ferro. Quando deixamos de congregar, esfriamos na fé, nossa casa sofre o esfriamento, e não podemos permitir isso. Ainda que a igreja seja uma tipificação da arca de Noé — cheia de animais diferentes, às vezes com mal cheio, apertada e com dificuldades —, ainda é o único lugar onde há salvação.

É necessário vigiar para não perder o espírito de guerra, pois o perdendo, estaremos em casa e, sem perceber, vulneráveis. O erro de Davi não foi ficar em casa, mas ficar em casa em um tempo em que ele não deveria estar.

Ao negligenciar a nossa espada, corremos um risco enorme de termos colheitas tão severas quanto às de Davi. Não podemos negligenciar nossa responsabilidade, somos reis da nossa casa, e não é tempo de subir no terraço. Somente podemos subir no terraço quando as nossas guerras estão vencidas, pois, com a guerra ganha, os nossos olhos estarão protegidos.

Alguns homens perderam o ânimo, a vontade de trabalhar, de orar, perderam a disposição de servir às pessoas, não têm mais alegria ou prazer de servir na igreja, de servir aos irmãos e de cuidar de pessoas. São essas ações que nos protegem, pois, enquanto estamos servindo a outros, Deus protege aquilo que é nosso, guarda a nossa vida. Não podemos perder o ânimo de ajudar o próximo ou de sermos bênção na vida de alguém. Precisamos preservar o ânimo de guerrear, pois Davi ganhou a guerra de fora, mas perdeu a guerra dentro da sua própria casa.

Quando dormimos em tempos de guerra, sacrificamos todo o nosso exército. No exército, existe uma função chamada sentinela, é uma posição em que o soldado fica guarnecendo um quartel. O soldado é revestido de autoridade para proteger a qualquer custo o quartel e os militares que ali estão sob seu cuidado. Ele está ali com sua arma, atento, guardando não apenas a sua vida, mas o quartel inteiro que está em sua retaguarda. Seus colegas de turno estão dormindo. Enquanto os colegas dormem, ele está atento; pois, se o sentinela resolve dar uma "dormidinha", toda a tropa pode ser assassinada.

Quando decidimos ficar em casa em tempos de guerra ou decidimos dormir em meio às guerras, toda a nossa família pode ser destruída porque resolvemos ficar sentados na hora de guerrear, porque resolvemos brincar de cristãos, porque não pegamos a nossa espada e não protegemos aquilo que Deus confiou a nós.

Sempre que dormirmos no terraço quando deveríamos estar na guerra, a nossa família pode ser sacrificada. Não podemos relaxar espiritualmente, subir no terraço e deixar a nossa família desprotegida. Algumas vezes, quando percebo que a espada está saindo da minha mão, quando a minha casa está dormindo pensando que estou na sentinela e não estou, percebo o furor da batalha e volto para a posição. Então, pego a minha espada novamente, volto a orar e jejuar, vou para o meu quarto e peço para que Deus envie seus anjos como reforço, e Deus manda, mas ele manda reforço para quem está na guerra e não no terraço. O que muitos homens precisam fazer hoje é voltar à prática do jejum, da oração, da leitura da Palavra, pois são nessas práticas que Deus se revelará, que o Senhor dará estratégias, instruções certas para lidarmos com os nossos filhos, com a nossa esposa, e mantermos a nossa casa segura.

A verdade é que todos estamos em guerra, a diferença é se vamos entrar para perder ou para ganhar, pois as guerras são reais e não há como escapar delas. Quando não assumimos a guerra ou não tomamos posição, o nocaute é certo. Contudo, quando pegamos a nossa espada e nos posicionamos em Deus, sabemos que a espada pode estar em nossas mãos, mas a batalha é do Senhor. Não existe nenhuma possibilidade de o Senhor nos deixar sozinhos em meio às guerras.

Muitos filhos se perdem, muitas famílias são destruídas, porque alguém que deveria estar na guerra não estava. Os reis que deveriam estar batalhando por eles não se posicionaram. Sempre que um rei não se posiciona ou passeia pelo terraço no tempo errado, as consequências são lamentáveis.

Davi teve que lidar com a triste consequência dos seus erros, pois a espada nunca mais se apartou da sua descendência.

Que sejamos convencidos pelo Espírito a pegar a nossa espada, a estar posicionados nas guerras, não porque somos perfeitos, pois não somos, mas por decidirmos agir com inteligência e sabedoria. Que decidamos não trilhar o caminho de queda que Davi trilhou. Antes, vamos tomar a espada nas mãos; pois, ainda que estejamos enferrujados, sem muita habilidade para lidar com ela, Deus nos capacitará, trará revelações necessárias, o Senhor nos fará ver aquilo que precisamos ver.

Existem chaves na vida da nossa esposa e dos nossos filhos que apenas nós podemos virar. Quando abandonarmos o terraço, a condição deles também mudará, eles estarão protegidos pelo sentinela da casa.

Não existe nada mais importante que a nossa espada, nossa família, nossos filhos, nosso exército, nosso chamado, nosso trabalho, nossos relacionamentos. Aquilo que é prioridade deve ser prioridade. Se Deus nos deu esposa e filhos, ele confiou soldados aos nossos cuidados. Se ele nos confiou esse exército, é porque sabe que podemos cuidar dele.

Se você já passeou no terraço quando não devia, se avistou e se deitou com Bate-Seba, se a criança já nasceu e morreu, Salmos 51 expressa a fala de Davi após perceber a sua terrível queda. Essa atitude nos traz esperança e um caminho de restauração para aqueles que caem:

> Tem misericórdia de mim, ó Deus, por teu amor; por tua grande compaixão apaga as minhas transgressões.Lava-me de toda a minha culpa e purifica-me do meu pecado. Pois eu mesmo reconheço as minhas transgressões, e o meu pecado sempre me persegue. Contra ti, só contra ti, pequei e fiz o que tu reprovas, de modo que justa é a tua sentença e tens razão em condenar-me. Sei que sou pecador desde que nasci, sim, desde que me concebeu minha mãe. Sei que desejas a verdade no íntimo; e no coração me ensinas a sabedoria. Purifica-me com hissopo, e ficarei puro; lava-me, e mais branco do que a neve serei. Faze-me ouvir de novo júbilo e alegria; e os ossos que esmagaste exultarão. Esconde o rosto dos meus pecados e apaga todas as minhas iniquidades. Cria em mim um coração puro, ó Deus, e renova dentro de mim um espírito estável. Não me expulses da tua presença, nem tires de mim o teu Santo Espírito. Devolve-me a alegria da tua salvação e sustenta-me com um espírito pronto a obedecer (Salmos 51.1-12).

O texto revela a oração de alguém que tropeçou, e muitos homens, atualmente, têm tropeçado. Talvez você seja um deles. Muitos reis estão feridos, machucados, não acreditam mais que Deus pode usá-los nesse lugar de autoridade, não acreditam mais que podem estar nesse lugar de rei, não se acham dignos da coroa que Deus colocou sobre sua cabeça. Alguns pensam que não são nem mais ouvidos por Deus, que não adianta mais orar e jejuar porque não há perdão para aquilo que fizeram. Mas a verdade é que as misericórdias do Senhor cobrem todo pecado, pois sempre há misericórdia para aqueles que se aproximam dele com coração quebrantado, contrito e em verdadeiro arrependimento.

Deus tem o poder de curar, restaurar, criar em nós corações puros e fortalecer as nossas mãos para pegar a nossa espada de novo, para sacudir a nossa vida e nos dar um recomeço, pois somos homens de Deus, filhos amados do Pai. O Senhor levanta seus homens, posiciona reis que estavam fora da guerra, chama homens que estavam fora da posição, para que, como homens de Deus, possamos nos levantar e pegar a nossa espada nas mãos. Minha oração é que você, homem, possa se levantar hoje e pegar a sua espada!

“ Tudo o que fazemos no mundo espiritual e natural tem uma colheita. Toda plantação dará frutos conforme a sua espécie. ”

TELMO MARTINELLO

HOMEM, UM CONSELHO PARA VOCÊ

Existe uma expressão popular que diz: "Se conselho fosse bom, ninguém daria de graça". Um ditado muito conhecido, resultante de uma mentalidade avarenta que não considera dar ao próximo algo que seja bom. Mas a mentalidade do Reino vai na contramão dessa crença popular, pois Deus nos deu o seu melhor, seu único Filho por amor a nós, exemplificando que o amor oferece o que tem de mais precioso.

> Agora, ouça-me! Eu lhe darei um conselho, e que Deus esteja com você! Seja você o representante do povo diante de Deus e leve a Deus as suas questões. Oriente-os quanto aos decretos e leis, mostrando-lhes como devem viver e o que devem fazer. Mas escolha dentre todo o povo homens capazes, tementes a Deus, dignos de confiança e inimigos de ganho desonesto. Estabeleça-os como chefes de mil, de cem, de cinquenta e de dez.
> Eles estarão sempre à disposição do povo para julgar as questões. Trarão a você apenas as questões difíceis; as mais simples decidirão sozinhos. Isso tornará mais leve o seu fardo, porque eles o dividirão com você (Êxodo 18.19-22).

O contexto do texto mencionado é um momento decisivo da vida e chamado de Moisés, pois retrata a importância de não andarmos sozinhos, a relevância de bons conselhos para o êxito das nossas tarefas diárias e planos diversos.

Nos versos anteriores, podemos ver que Jetro percebeu o perigo da maneira como seu genro estava procedendo. Moisés cuidava de todo Israel, e a Bíblia relata que ele se assentava do amanhecer até o cair da tarde para julgar as questões do povo. Ao ver que Moisés recebia todas as questões trazidas pelas pessoas, decidindo entre elas e ensinando as leis e decretos do Senhor, o sogro de Moisés disse que aquela atitude não era correta.

A primeira lição a qual podemos nos atentar aqui é a importância de andar sob o cuidado e a orientação de bons conselhos. Muitos planos, por mais excelentes que sejam, falham pela ausência de sábios conselhos.

Moisés estava fadigado com tamanha tarefa e responsabilidade. Naquele momento de muito trabalho e exaustão, Jetro deu um conselho imprescindível para o sucesso da liderança do libertador de Israel.

Quando assistimos a alguns programas ou reportagens sobre a vida e o comportamento animal na África ou outros lugares, percebemos que os leões e outros predadores sempre ficam à espreita, observando, atentos para identificar o animal que se distancia do rebanho, tornando-se uma presa fácil. Sempre que um animal bebê ou o mais fraco fica para trás, quando um integrante da manada se distrai ou se isola do bando, o inimigo que está ao derredor encontra a ocasião perfeita para capturá-lo. Assim também acontece conosco, quando andamos pela vida isolados em nossas ideias e não buscamos conselhos sábios: é possível que sejamos capturados pelo Inimigo; pois, na ausência de bons conselhos, podemos ser cercados por ele e mais facilmente capturados.

> Onde não existe conselho, fracassam os bons planos. Mas onde há a cooperação de muitos conselheiros, há grande êxito (Provérbios 15.22).

O texto de Provérbios é muito esclarecedor, porque percebemos que os planos podem ser bons; mas, na ausência de conselho, até bons planos fracassam. Mesmo que sejam planos magníficos, estratégias divinas e não diabólicas, sem conselhos, acabam fracassando. Andar sob bons conselhos é um princípio poderoso para alcançar êxito, pois todo conselho serve como uma sinalização deixada por alguém que já percorreu o caminho que vamos trilhar. Independentemente do caminho ou plano, sempre existe alguém para nos aconselhar. Precisamos buscar por esses conselheiros, pois boas intenções fracassam na ausência de bons conselhos.

> Quem sai à guerra precisa de orientação, e com muitos conselheiros se obtém a vitória (Provérbios 24.6).

Bons planos precisam de conselhos; para irmos para guerra, precisamos de bons conselhos e, para sairmos das guerras vitoriosos, precisamos de bons conselhos também. Devemos estar cientes do que acontece ao nosso redor, pois nossos filhos estão em guerra, nossa esposa está em guerra, nossa casa está em guerra, nós estamos em guerra. Se sairmos para lutar sem bons conselhos, perderemos as guerras. Muitos podem julgar que são habilidosos, têm mãos bem preparadas para guerrear, mas não podemos confiar demais no nosso braço ou na nossa força, precisamos de bons conselhos.

O conselho é um lugar seguro que Deus deixou para nós. Durante as guerras, é nesse lugar, na multidão de conselhos, que vamos adquirir sabedoria, descanso e vitória. Devemos estar onde podemos obter o conselho vindo do Senhor, conselhos de pessoas mais sábias, que sinalizam caminhos seguros para os nossos pés.

O conselho de Jetro apontava a necessidade de uma escolha, a escolha de homens capazes que pudessem auxiliar Moisés na liderança de toda a nação. Esse conselho não revela apenas a sabedoria que um líder precisa ter para não sucumbir diante da exaustão das suas responsabilidades, mas também a importância de sermos homens capazes e aptos para serem escolhidos. Mais que saber escolher alguém para ocupar uma posição de liderança, precisamos aprender como ser homens que podem ser escolhidos.

No conselho de Jetro encontramos quatro características importantes na vida daqueles que almejam ser escolhidos.

A primeira delas é a capacitação. É interessante que, por muitos anos, ouvimos que Deus não escolhe capacitados, mas capacita os escolhidos. Contudo, não existe nenhum texto bíblico que respalde essa afirmação, e o conselho de Jetro vai diretamente contra ela. Entendemos que existe um processo, que Deus nos transforma naquilo que ele nos criou para ser, assim como lapidou os discípulos e transformou Pedro em um pescador de homens. Mas não existe respaldo bíblico para dizer que Deus escolhe as pessoas primeiro para depois capacitá-las, e o conselho do sogro de Moisés traz uma mensagem clara para nós: capacite-se! Devemos ser diligentes com a nossa capacitação; pois, quando a necessidade de escolha aparecer, estaremos preparados, capacitados para sermos escolhidos.

O processo de capacitação deve ser encarado com comprometimento e seriedade, pois Deus busca e escolhe homens capazes. Nas coisas terrenas, nos capacitamos; nas coisas do alto, buscamos a capacitação que procede do céu. Para pescar peixes, Pedro aprendeu e se capacitou para isso naturalmente, mas para ser um pescador de homens, Deus teve que capacitá-lo de forma sobrenatural. Nas coisas terrenas, não foi necessário Deus ensiná-lo a pescar; mas, nas coisas eternas, Pedro precisou aprender com o céu, pois o modelo das coisas eternas estão no céu, não na terra.

Quando Manoá recebeu a notícia sobre a promessa da gestação e nascimento de seu filho Sansão, sua primeira preocupação foi com as instruções sobre como o menino deveria ser criado. Ao ouvir o relato de sua esposa, sobre o anjo ter aparecido dizendo que — apesar da esterilidade que por tanto tempo impediu que ela gerasse filhos — em breve ela conceberia e teria um filho, um menino que desde o nascimento começaria a salvar Israel; Manoá decidiu capacitar-se. Ao compreender a seriedade sobre o que havia sido revelado acerca do menino, Manoá buscou ao Senhor, pedindo que mais uma vez o anjo aparecesse para dar mais instruções sobre a criação do filho que seria confiado a eles.

Ele pediu pelo anjo, porque compreendeu que, se o céu estava dando o filho, era do céu o comando, a instrução e o padrão para que o filho fosse criado. Tudo que recebemos do céu, como igreja de Jesus, precisamos cuidar sob o conselho e a instrução do céu, pois aquilo que o céu dá, o Senhor ensina como criar. Nas coisas da terra, tratamos com as coisas da terra, mas nas coisas do alto, devemos buscar instruções do alto.

Não podemos conduzir de forma humana aquilo que é espiritual. Nossa família está no âmbito natural, porque vemos nossa esposa e nossos filhos, mas elas também são espirituais, pois existe uma aliança no casamento que é ligada no céu. O casamento é tão espiritual, que a casa, a família, é o primeiro lugar em que uma criança desenvolverá o senso de ordem, governo e autoridade em si. Quando a casa não corresponde ao propósito de gerar esse senso de ordem e governo, a criança que cresce na ausência do pai, por exemplo, não consegue chamar ou enxergar a Deus como Pai.

Muitas vezes buscamos técnicas terrenas para conduzir o casamento; mas, mesmo que gastássemos toda fortuna possível, não teríamos muitos resultados, porque existe um aspecto do céu no casamento, em que somente o céu pode nos ajudar a conduzir melhor o nosso matrimônio. Não podemos tentar fazer com o nosso braço ou com a nossa própria força aquilo que apenas o conselho do céu pode estabelecer em nossa família, precisamos buscar a instrução do alto para conduzirmos melhor a nossa casa. Como homens, precisamos nos capacitar para conduzir a nossa casa e refletir constantemente sobre qual conselho tem nos direcionado nisso e em todas as áreas da nossa vida.

Quando desejamos melhorar, progredir, experimentar crescimento exponencial na terra, devemos nos capacitar para transformar nosso anseio em realidade. Não basta almejar uma promoção, um aumento salarial ou novas oportunidades profissionais, devemos buscar capacitação para que isso seja possível.

No Reino de Deus, o caminho é o mesmo, pois Deus usa aqueles que estão capacitados para os propósitos que ele deseja estabelecer na terra. Muitos questionam aquilo que o Senhor está fazendo na vida dos irmãos e por meio deles, mas não buscam capacitação para servir e ser usados.

A segunda característica que Jetro considerou importante estar presente nos homens que Moisés deveria escolher era o temor a Deus. É válido lembrar que temor não é medo de Deus, mas reverência de coração, é uma disposição interna na ausência ou na presença. É fazer aquilo que é correto mesmo que ninguém veja, é ter a consciência de que os olhos do Senhor estão em todo lugar. Temor a Deus não é perfeição, mas busca constante de honrar a Deus em tudo, responsabilidade consciente, disciplina interna de temor a ele que rege todas as nossas práticas. É o temor que nos conduz ao arrependimento. Não é ser perfeito, mas todas as vezes que cair, ajoelhar-se diante de Deus reconhecendo o erro e pecado contra ele. Temer a Deus não é nunca errar; temer a Deus é sempre consertar. Deus deseja nos estabelecer em lugares de governo e honra, mas precisamos estar capacitados e andar no temor do Senhor para isso. Mesmo quando ninguém vê, Deus vê; não se trata de temor de pessoas, mas temor ao Deus que tudo vê e ao qual desejamos agradar.

> Ensina-me o teu caminho, Senhor, para que eu ande na tua verdade; dá-me um coração inteiramente fiel, para que eu tema o teu nome (Salmos 86.11).

Temer a Deus é, sobretudo, obedecer voluntariamente; é saber que antes de entristecer ou errar com alguém, erramos e entristecemos o Senhor.

A terceira característica apontada por Jetro seria a veracidade, homens verazes, ou seja, homens de verdade. Moisés deveria selecionar homens reais, verdadeiros, autênticos, responsáveis que, como diz a expressão popularmente conhecida, "honram as calças que vestem".

O princípio da veracidade, ser um homem de verdade, é o que nos habilita a cuidar de outros. Homens de verdade são confiáveis; não são perfeitos, mas admitem suas falhas e limitações, não omitem, antes, assumem a responsabilidade por elas.

Deus confia seus filhos a homens de verdade. Chama homens confiáveis para a sua obra. Homens de verdade são os que podem ser levantados pelo Senhor. Muitos confiam nos dons, valorizam a eloquência, mas é preciso valorizar e buscar a veracidade, confiar em quem é digno de confiança. Não se pode ser levado pela influência de uma geração virtual que valoriza aquilo que é aparente, visível no *feed* das redes sociais, deve-se valorizar a essência, o verdadeiro e real.

Por último, a qualidade fundamental para que aqueles homens pudessem estar auxiliando Moisés na liderança, era a generosidade. Moisés deveria escolher homens que aborreciam a avareza e praticavam a generosidade. Se almejamos ocupar os lugares que Deus quer que estejamos, devemos aplicar esses princípios e desenvolver essas características. Devemos ser generosos com a nossa esposa, com os nossos filhos. Deus busca por homens que ofertam, que semeiam na vida das pessoas e abençoam o próximo, homens não apegados às coisas terrenas.

É interessante que Deus só nos dá aquilo que estamos dispostos a devolver. Certamente, ele deseja a prosperidade para a nossa vida, mas não nos deixará desfrutar de toda prosperidade que tem para nós enquanto essa prosperidade for um risco para nós. Deus não nos dará algo que pode nos "embriagar" se tivermos. Se o dinheiro incomoda um coração, é possível que esse coração seja avarento, e não generoso.

Que sejamos homens generosos, verdadeiros, tementes a Deus e que se capacitam para ocupar os lugares de governo e sacerdócio que o Senhor tem para nós. Que possamos buscar todas as características sinalizadas por Jetro para os escolhidos.

Que o nosso Deus possa nos usar para libertação de outros, para responder à vocação e ao chamado do Pai para nós. Que sejamos homens dignos de serem colocados sobre 10, 50, 100 e 1000, para que vivamos os propósitos de Deus segundo o conselho do Senhor.

“Temer a Deus
não é nunca errar, é
sempre consertar.”

TELMO MARTINELLO

HOMENS CURADOS, FAMÍLIAS CURADAS

A caminho de Jerusalém, Jesus passou pela divisa entre Samaria e Galileia. Ao entrar num povoado, dez leprosos dirigiram-se a ele. Ficaram a certa distância e gritaram em alta voz: "Jesus, Mestre, tem piedade de nós!". Ao vê-los, ele disse: "Vão mostrar-se aos sacerdotes". Enquanto eles iam, foram purificados. Um deles, quando viu que estava curado, voltou, louvando a Deus em alta voz. Prostrou-se aos pés de Jesus e lhe agradeceu. Este era samaritano. Jesus perguntou: "Não foram purificados todos os dez? Onde estão os outros nove? Não se achou nenhum que voltasse e desse louvor a Deus, a não ser este estrangeiro?". Então ele lhe disse: "Levante-se e vá; a sua fé o salvou" (Lucas 17.11-19).

O texto acima esclarece alguns aspectos muito importantes, como a compreensão de que Jesus passa onde a religião não quer passar. Jesus não apenas passou por Samaria, mas também entrou em uma aldeia designada como refúgio para leprosos — na época, os leprosos não podiam estar nos mesmos espaços que as pessoas sãs, não era permitido a eles estar no meio da sociedade; eram obrigados, pela Lei, a habitar em aldeias específicas para pessoas com lepra. Percebemos que, para alcançar aqueles que estavam apartados do convívio social pela Lei e pela religião, foram alcançados por Jesus, porque é isso que ele faz, passa por onde a religião não passa; ele não tem problema em passar nas aldeias de leprosos.

O amor de Jesus é impressionante, pois ele vai a lugares que naturalmente não arriscaríamos passar. Segundo a Lei, uma pessoa com lepra era considerada imunda:

> Disse o Senhor a Moisés e a Arão: O homem que tiver na sua pele inchação, ou pústula, ou mancha lustrosa, e isto nela se tornar como praga de lepra, será levado a Arão, o sacerdote, ou a um de seus filhos, sacerdotes. O sacerdote lhe examinará a praga na pele; se o pelo na praga se tornou branco, e a praga parecer mais funda do que a pele da sua carne, é praga de lepra; o sacerdote o examinará e o declarará imundo (Levítico 13.1-3, *ARA*).

Era responsabilidade do sacerdote observar e estabelecer um diagnóstico segundo alguns critérios. Quando o diagnóstico não era imediato, após sete dias de afastamento social, um novo exame era realizado. Se o resultado ainda não fosse conclusivo, depois de mais sete dias, o indivíduo era examinado novamente. No caso de diagnóstico de lepra, aquele leproso deveria ir para aldeia destinada aos portadores de lepra.

O leproso não era só uma pessoa doente, mas uma pessoa maldita, segundo o entendimento da época. Quando aqueles leprosos viram Jesus entrando na aldeia, mesmo mantendo certa distância devido à lepra [afinal, a lepra não era considerada apenas uma doença naqueles dias, mas também uma maldição], os dez gritavam, clamavam para que Jesus tivesse compaixão e misericórdia deles. Tocar em alguém leproso era tocar em alguém maldito, pois a lepra era diferente de qualquer outra doença, já que sobre ela existia uma sentença de maldição. Aqueles homens ficaram a certa distância porque conheciam a gravidade da situação em que estavam. Talvez, durante a vida inteira tinham ouvido que eram malditos, que carregavam a maldição da lepra em seus corpos e, por isso, mantiveram distância.

Um número expressivo de homens passam suas vidas distantes de Jesus, da igreja, da comunhão com o Pai, simplesmente por não terem a coragem de se aproximar de Deus. Ouviram durante muito tempo que, para determinados tipos de pecados, não há perdão, e essa mentira mantém seus corações distantes do único capaz de curar, limpar e restaurar a vida.

Muitas vezes fomos ensinados assim, e, ao ouvir o convite de Jesus para nos aproximarmos dele, negamos essa aproximação alegando a nossa imundícia, impureza ou pecados. É bem possível que uma grande parte dos homens esteja assim, sentindo-se imundo, compondo o time daqueles leprosos da aldeia.

Temos uma falsa ideia de que a nossa santidade nos aproxima de Jesus. Alguns homens estão na igreja, participam do culto, desejam estar perto do Senhor, mas a culpa faz que permaneçam a certa distância. Por nós mesmos, jamais seremos dignos ou estaremos aptos a nos aproximar dele. Não é a nossa santidade que nos aproxima, pois não é ser mais santos que nos levará para mais perto, mas estar perto que nos fará homens mais santos. Não é a nossa santificação que nos aproxima dele, é a intimidade com Cristo que nos conduz à santificação, que é um processo resultante do agir de Deus em nossa vida.

Muitos irmãos julgam não estar prontos para o batismo sem compreender que jamais estaremos prontos, que a vida cristã é um processo contínuo de andar com Jesus e se tornar cada vez mais parecido com ele.

A vida cristã é um processo e, infelizmente, esse processo é interrompido por aqueles que, enquanto Jesus está convidando para a intimidade, para cear com ele, decidem ficar a certa distância. Muitas pessoas que privam a si mesmas do abraço de Jesus porque se consideram imundas, não compreendem que o desejo dele é abraçar, tocar, limpar, transformar e dar-lhes um propósito. Pedro é um ótimo exemplo de que não podemos produzir nada com nosso próprio esforço, pois seu trabalho foi apenas um: andar com Jesus. Foi andar com Cristo que transformou a vida de Pedro e fez dele um pescador de homens. Não são as nossas boas ações que nos transformam, mas andar com Jesus. A primeira lição que aprendemos com esse texto é não ficar a certa distância, mas nos achegar a ele, pois é na proximidade com Jesus que somos transformados.

Ao ver e perceber a atitude dos leprosos, amando e se compadecendo daqueles homens, Jesus mandou irem até o sacerdote. Eles ficaram animados e com grande expectativa, pois certamente existia um motivo para Jesus dar aquela ordem. É possível que tenham pensado: "Algo vai acontecer, Jesus não nos enviaria até o sacerdote se não fosse para sermos curados!".

Os versos de Lucas relatam que "enquanto eles iam", foram curados e purificados da lepra. É possível que nove daqueles homens, ao perceberem que estavam limpos, tenham se apressado para reencontrar a esposa, a família ou parentes, mas um daqueles homens, ao ver que estava curado, não correu para ninguém, mas voltou e se prostrou aos pés de Jesus, louvando a Deus. Após ser curado, aquele homem não ficou mais a certa distância, ele se aproximou, se ajoelhou aos pés do Senhor e agradeceu.

Jesus perguntou ao que voltou: "Não foram purificados todos os dez? Onde estão os outros?". E lendo os versos, sem nenhuma pretensão de fomentar qualquer discussão teológica, podemos identificar uma sentença: dez foram curados e limpos, mas apenas um foi salvo, e aquele salvo agradeceu. Isso nos faz perceber que encontramos a salvação onde existe gratidão pelo sacrifício e por tudo aquilo que Jesus fez por nós. A salvação não está no mérito humano nem no fato de sermos curados, pois a salvação que alcançou aquele homem não aconteceu no momento da cura ou quando ele clamou por ela, mas quando ele voltou para agradecer, quando se prostrou aos pés de Jesus reconhecendo quem ele era.

O homem que voltou para agradecer alcançou algo infinitamente maior que a cura, pois encontrou a salvação. Depois de ser salvo, pôde retornar para sua família, voltar para a sua casa e para os seus.

O texto dos dez leprosos me faz pensar na história de outro homem, também leproso, mas que viveu outras experiências e obteve a cura de maneira diferente. Essa história nos permite crer que muitos leprosos ao nosso redor, homens consumidos pela lepra, também serão curados neste tempo, pois ouvirão aquilo que o Espírito diz: "Não fique longe, aproxime-se, pois desejo curar você!".

Quando Jesus ordenou aos leprosos para irem até o sacerdote, uma chave foi virada no céu, uma chave fundamental para mudar a nossa vida, a chave da obediência. Todos obedeceram e, enquanto estavam indo, foram curados. Assim acontece conosco, enquanto estamos indo, nos santificando, obedecendo, melhorando como marido, crescendo como cristão, prosseguindo, ele nos cura. Na maioria das vezes, pensamos que precisamos estar curados para ir, mas é na obediência, no caminho, na aceitação, na não interrupção do processo, que somos curados.

Gosto de uma frase que diz: "leva tempo para Deus fazer de repente". Quando seguimos obedecendo e suportamos o processo, de repente somos curados, de repente somos libertos, e os vícios que antes nos aprisionavam, não têm mais domínio sobre nós.

Naamã, homem resolvido, herói valoroso, importante e respeitado, homem que a Bíblia descreve como alguém que "era grande diante do seu senhor e de muito conceito", respeitado até por seus inimigos. Além do seu alto ofício, experimentou um grande drama em sua vida, pois era um comandante leproso, ou seja, não era apenas uma pessoa doente, mas alguém que carregava em seu corpo uma maldição.

Sabemos que ele foi curado, mas a cura de Naamã foi um processo, resultado de várias etapas. A primeira etapa vivida por Naamã foi com uma menina judia que se tornou sua empregada, servindo a esposa do nobre comandante. Aquela menina disse à mulher de Naamã que, se ele procurasse o profeta que estava em Samaria, seria curado da lepra. Não sabemos o nome dessa menina, mas sabemos que ela era filha de Abraão, conhecia a Deus e cria nos profetas. A cura de Naamã começou no momento em que ele inclinou seus ouvidos para ouvir pessoas que aparentemente não mereciam ser ouvidas. Quando ouvimos pessoas às quais antes não dávamos crédito, pessoas que até maldizemos, mas que liberam palavras de Deus para nós, começamos a trilhar um processo de cura. O Senhor, diversas vezes, usa aqueles que desprezamos para liberar a cura que precisamos, pois o processo de cura da lepra começa na humilhação.

A cura resulta do processo de submetermos os nossos ouvidos às pessoas que julgamos inferiores a nós, pois Deus usa as pessoas que menosprezamos para nos abençoar. O Senhor pode colocar teólogos para ouvir meninos e meninas, pessoas simples, que ele deseja usar para estabelecer cura sobre nós, pois a cura pode resultar de onde menos imaginamos.

A segunda etapa de Naamã foi ser recebido pelo menino que entregou o recado do profeta, e não pelo profeta. As coisas não serão como esperamos ou desejamos, mas como Deus quer. O processo de cura é segundo o tempo e modo de Deus, não é como ou quando queremos, mas no tempo e na forma dele.

O terceiro processo que Naamã enfrentou foi a humilhação de despir-se, pois a direção do profeta era que ele mergulhasse no rio. Despir-se é constrangedor e, em muitas situações, humilhante. Para mergulhar, foi necessário tirar suas vestes, sua farda, suas roupas. A experiência de Naamã nos ensina que, para sermos curados, será necessário tirar a nossa capa. Para que a cura de Deus venha, nosso coração precisa estar disposto a tirar a capa de durão, de "eu sou o machão da casa", a capa de que "homem não chora", será necessário abandonar a capa do "eu sou melhor", "não aceito ajuda de ninguém", teremos que nos despir, tirar as roupas, trilhar o caminho da humilhação.

Eu compreendo o constrangimento de muitos homens que ousam tirar as vestes e expor a real condição das suas vidas, mas sei também que o processo de cura da lepra é na vergonha, na nudez, na transparência e na confissão.

Por natureza, somos competitivos, territoriais, orgulhos e, justamente por isso, temos uma dificuldade enorme de expor nossas fraquezas, confessar nossos pecados e despir a nossa alma. Não é fácil vencer o nosso orgulho; mas, quando Deus deseja nos curar da lepra, ele nos manda mergulhar sete vezes no rio mais sujo, na condição mais humilhante; pois, onde há lepra, onde o orgulho está, os processos são mais dolorosos.

Aos poucos, Deus nos aperta, molda, limpa, até que sejamos curados. Quanto mais resistirmos, mais apertados por ele seremos, pois o Pai anseia nos ver limpos, curados, posicionados como generais de guerra que vencem as batalhas externas, mas vencem também suas batalhas interiores.

Deus deseja levantar homens vitoriosos fora de casa, mas que vivem e manifestam a sua melhor versão quando estão com seus filhos e sua esposa em sua casa; homens que não são perfeitos, mas estão limpos, que ao se despirem da armadura não são leprosos, mas curados. Ser limpo não é ser perfeito, ser limpo é ser curado. Alguns homens carregam marcas e cicatrizes no corpo, pois homens curados possuem cicatrizes. Mas ainda que uma cicatriz não pareça bela aos olhos humanos, o importante é estarmos curados, é não sentirmos mais aquele ferimento doer. É preferível ter uma cicatriz no rosto, onde todos podem enxergar, que um calo no pé que ninguém vê, mas que vai doer pelo resto da nossa vida. Cicatrizes significam que fomos curados, elas provam que tivemos êxito no processo de cura.

Pior que a feiura das cicatrizes, são as feridas abertas que não param de sangrar. Quando andamos pela vida sangrando, contaminamos quem está ao nosso redor. Quando não paramos de sangrar, o sangue que derramamos contamina nossos filhos, e eles acabam enfrentando problemas na mesma área da nossa contaminação. Quando um leproso não é curado, ele é obrigado a deixar a sua casa, é removido do convívio familiar, deixando a família espiritualmente exposta, perdendo o acesso ao lar. Quando existem pecados ocultos, doença escondida abaixo da capa, somos rompidos e perdemos autoridade sobre a nossa família. Deus não está preocupado se está doendo, a prioridade é curar a nossa vida. Enquanto o Diabo trabalha com aquilo que está escondido, obtendo legalidade nas coisas que estão ocultas, Deus liberta com a luz, expondo para trazer a cura, pois os processos mais dolorosos são, também, os mais curadores.

No processo de cura não há espaço para méritos ou compensação, pois Deus trabalha com obediência e não com sacrifícios. Tudo que precisamos fazer é aceitar os processos, romper com a distância, nos aproximar dele, pois tudo que era preciso ser feito, já foi feito por Jesus na cruz do Calvário.

Enquanto os dez leprosos iam até o sacerdote, foram curados. A cada mergulho de Naamã, a lepra ia embora, até que, no sétimo mergulho, a sua pele ficou como a de um bebê. O ápice da cura na vida de uma pessoa é quando ela abandona os seus falsos deuses. Naamã renunciou o seu deus e começou a servir ao Deus verdadeiro, o Deus do profeta e daquela menina que servia em sua casa. Pecados podem ser deuses. A pornografia, o adultério, os ganhos ilícitos, os prazeres deste mundo, as drogas ou o dinheiro podem ser falsos deuses. Quando abrimos mão e renunciamos esses deuses, entramos em um processo de cura.

Deus deseja nos limpar e nos curar; curar a nossa alma, o nosso corpo e espírito, pois só ele vê aquilo que ninguém mais enxerga, e são dessas doenças que ele deseja libertar nosso coração. Podemos agradecer pela cura antes mesmo de recebê-la, e, à medida que obedecermos, seremos curados.

Em Tiago 5, aprendemos que a confissão é o caminho da cura. Ao confessarmos os nossos pecados e orarmos uns pelos outros, a cura se estabelece sobre nós. A confissão pode ser humilhante, mas é um caminho de restauração, porque é na humilhação que as feridas são saradas. Aqueles dez homens tiveram que gritar, suplicar pela misericórdia de Jesus. O grito foi uma atitude de humilhação, mas foi essa atitude que abriu para eles um caminho de milagres, um caminho para sair da aldeia e retornar para suas casas, para suas famílias, porque a cura nos reposiciona, a cura nos permite voltar ao lugar de tudo aquilo que era nosso.

Quando somos curados, nossa família é curada. Para isso, é necessário nos aproximarmos dele, obedecermos, continuarmos prosseguindo, darmos todos os mergulhos, vencermos a insensibilidade que a lepra causou e, como Naamã e aquele leproso que voltou para agradecer a Jesus, abandonarmos os falsos deuses para servir e adorar ao Deus verdadeiro, ao Senhor que nos curou.

“No processo de cura não
há méritos ou compensação.
Deus trabalha com obediência,
não com sacrifícios.”

Telmo Martinello

HOMENS GERACIONAIS

Naquele tempo Ezequias ficou doente, e quase morreu. O profeta Isaías, filho de Amós, foi visitá-lo e lhe disse: "Assim diz o Senhor: ponha em ordem a sua casa, pois você vai morrer; não se recuperará" (2Reis 20.1).

A primeira lição que podemos extrair do texto acima é que, até para morrer, precisamos estar com a nossa casa em ordem. Ezequias recebeu a notícia da sua morte e também a direção para colocar a sua casa em ordem. Com isso, aprendemos que o primeiro ministério que o céu espera que cumpramos com excelência é com nossa família, estabelecendo ordem e cuidado sobre aqueles que o Senhor nos confiou. Temos de deixar a nossa casa limpa, ou seja, em ordem e com um legado construído.

Nosso primeiro ministério não é nossa atividade na igreja, mas tudo que fazemos para o Senhor. Nossa família é nosso ministério, nossa esposa, nossos filhos, nosso trabalho e sustento, tudo aquilo que fazemos é para o Senhor, pois não existe vida secular para o cristão. Nossa vida é única e deve ser usada para adorar a Deus integralmente.

Partindo desse princípio, o nosso primeiro ministério é a nossa casa. Ao comunicar Ezequias sobre a sua doença e, consequentemente, a sua morte, Deus deu a ele a chance de colocar a casa em ordem. Na maioria das vezes, relacionamos morte e doença ao Diabo. No texto mencionado, Deus falou e deu a Ezequias a oportunidade de consertar algumas coisas.

Ezequias não era do Diabo, não era um homem mau, dependente químico, imoral, mas um homem de Deus que, em algum momento ou lugar, cometeu falhas. Essa Palavra de Deus concedeu a ele a chance de fazer os ajustes e reparos necessários, colocar a sua casa em ordem, e colocar em ordem é priorizar.

Priorizar ou saber estabelecer prioridades é fundamental. Uma pessoa que passa horas ao celular, usando redes sociais e com outras distrações, mas não lê a Bíblia fez uma escolha. A não leitura não está relacionada à falta de tempo para ler, mas porque não estabeleceu a leitura da Palavra como prioridade. Priorizamos aquilo que queremos, e não existe desculpa para isso. Nossas escolhas resultam das prioridades estabelecidas.

O rei estava doente, a morte dele era certa, mas ele não poderia terminar a vida de qualquer forma. A casa dele não estava em ordem. Era necessário organizar as coisas, ele precisava estabelecer prioridades, determinar o nível de importância das pessoas e coisas, definir o que de fato ele deveria priorizar.

A necessidade de estabelecer prioridades e definir o grau de importância da família não era algo que apenas Ezequias precisava fazer, mas uma reflexão que nós devemos fazer hoje: qual é a importância da nossa família? Qual é a importância que as coisas têm para nós?

Em certo momento da vida do apóstolo Paulo, ao despedir-se de alguns irmãos, a Bíblia relata que eles se reuniram ao redor dele e choraram, pois sabiam que nunca mais o veriam novamente. Aqueles irmãos não choraram por causa das cartas maravilhosas escritas por Paulo, pelas curas que Deus realizou por intermédio do apóstolo nem por alguma oferta que ele deixou. Eles choraram porque nunca mais teriam a chance de vê-lo. Ou seja, mais importante que adquirir coisas é ver e estar com as pessoas que amamos. O que importa de fato não são os presentes, recursos ou possibilidades que o dinheiro pode proporcionar, mas estar com as pessoas que amamos. Nosso grande problema é que somente valorizamos ou ordenamos nossa escala de valores quando perdemos algo precioso. Basta perguntar para pais que perderam seus filhos o que eles consideram mais importante, e a resposta deles nos ajudará a estabelecer valores e prioridades corretas.

Acredito que Ló é um exemplo bíblico de homem sem a clara noção de suas prioridades. Certa vez, anjos chegaram à casa dele para avisar que a cidade seria destruída. Naquele lugar, os homens viviam de forma tão contrária aos padrões do céu que chegaram ao ponto de bater à porta de Ló para ele entregar os anjos, e, assim, os homens poderem ter relações sexuais com eles. Na tentativa de preservar os anjos, Ló ofereceu suas próprias filhas. Na minha interpretação, creio que ao entregar suas filhas para preservar os anjos, Ló revelou não compreender a ordem correta de suas prioridades. Enquanto deixavam a cidade, vemos que a ordem que ele deu para a sua família foi para não olhar para trás, mas uma pessoa olhou (a sua própria esposa). Isso nos mostra que ele não tinha liderança alguma em sua própria casa, ao contrário de Noé, cujos filhos ficaram durante 100 anos construindo uma arca no deserto em respeito à direção e ordem do pai.

Muitos consideram Ló um grande homem de Deus por ter preservado os anjos, e devemos ser cautelosos com isso, pois muitos sacrificam suas famílias para preservar a obra: cuidam da igreja, mas sacrificam sua casa. Não podemos preservar o sucesso, a troca de um automóvel, coisas ilícitas, em detrimento da nossa esposa e nossos filhos.

Não podemos priorizar o que nos deixa felizes, mas o que nos torna mais fortes, pois não fomos criados para ser felizes; fomos criados para cumprir um propósito. Jesus não morreu para nos dar felicidade, mas para termos salvação e propósito de vida, como deixar um legado para os nossos filhos. Não somos cristãos para ser felizes, apesar de a alegria do Senhor ser a nossa força, temos nosso nome escrito no livro da vida, porque os demônios se submetem a nós, e encontramos a paz que excede todo entendimento. Acima de tudo, somos cristãos para viver os propósitos do Pai.

Ezequias gerou Manassés, que, segundo a Bíblia, é considerado o pior rei que já existiu, o mais cruel e idólatra de Israel. E a pergunta que devemos nos fazer é: em que o rei Ezequias errou? Ele era um homem justo e bom, mas seu filho foi considerado o pior rei da história de Israel; então, em que Ezequias errou?

> Naquela época, Merodaque-Baladã, filho de Baladã, rei da Babilônia, enviou a Ezequias cartas e um presente, porque soubera de sua doença e de sua recuperação. Ezequias recebeu com alegria os enviados e mostrou-lhes o que havia em seus depósitos: a prata, o ouro, as especiarias, o óleo fino, todo o seu arsenal e tudo o que se encontrava em seus tesouros. Não houve nada em seu palácio ou em todo o seu reino que Ezequias não lhes mostrasse. Então o profeta Isaías foi ao rei Ezequias e perguntou: "O que aqueles homens disseram, e de onde vieram?". "De uma terra distante", Ezequias respondeu. "Eles vieram da Babilônia para visitar-me". O profeta perguntou: "O que eles viram em seu palácio? "Ezequias respondeu: "Viram tudo que há em meu palácio. Não há nada em meus tesouros que não lhes

tenha mostrado". Então Isaías disse a Ezequias: "Ouça a palavra do Senhor dos exércitos: Um dia, tudo o que há em seu palácio bem como tudo o que os seus antepassados acumularam até hoje será levado para a Babilônia. Nada ficará, diz o Senhor. E alguns de seus próprios descendentes serão levados, e se tornarão eunucos no palácio do rei da Babilônia". "É boa a palavra do Senhor que você falou", Ezequias respondeu. Pois pensou: "Haverá paz e segurança enquanto eu viver" (Isaías 39.1-8).

De acordo com o texto que acabamos de ler, podemos pontuar dois erros de Ezequias. Primeiro, ele abriu a casa do tesouro, mostrou todo o seu depósito de prata, ouro, especiarias, óleo fino e arsenal para quem não deveria. Devemos refletir sobre quais pessoas frequentam a nossa casa, quem são as pessoas que andam com os nossos filhos, quem nos aconselha, quem aconselha a nossa esposa. Quem tem acesso ao nosso tesouro particular? Ezequias abriu o seu tesouro real para quem não deveria, abriu a sua vida particular para pessoas que não deveriam saber, contou segredos para quem não deveria ouvir e andou sob o conselho de ímpios. Ele não preservou o legado dos seus antepassados, abriu para o Inimigo ver e acabou expondo aquilo que era mais valioso em seu reino.

Quem discipula os nossos filhos? Será que eles conhecem os grandes homens da Bíblia, como o rei Davi, ou só conhecem *youtubers* famosos? Precisamos assumir a responsabilidade acerca da educação dos nossos filhos, somos nós que devemos apresentar a eles aquilo que é correto. Quem deve discipular os nossos filhos, cuidar do que nos é mais valioso, somos nós. Discipular, cuidar e educar os nossos filhos deve ser prioridade em nossa vida, é nosso ministério.

Quem são as nossas referências? Qual tem sido o nosso alimento espiritual? Muitas vezes enchemos o estômago de comida estragada e ainda queremos ter saúde espiritual. Quando nos alimentamos mal, somos fisicamente prejudicados. Assim, aquilo que nos alimenta espiritualmente determina a qualidade da nossa vida espiritual. Quem está entrando em nossa casa? Que músicas, filmes, mídias estão entrando em nosso lar? Aquilo que permitimos entrar em nossa casa determina a qualidade, a saúde da nossa família.

O segundo erro de Ezequias, após ouvir o profeta Isaías falar sobre as consequências da exposição dos seus tesouros, foi considerar a palavra do profeta boa. Ezequias a considerou boa porque era uma consequência futura, e não para os seus dias. O rei não se preocupou com as próximas gerações, contentou-se com a paz que teria em seus dias.

Quantos de nós pensam apenas em si mesmos, não se preocupar em deixar um legado para aqueles que serão a nossa continuidade? Quando vemos por esse prisma, entendemos por que o Senhor mandou que o rei colocasse a sua casa em ordem. Da mesma maneira, precisamos ordenar as nossas prioridades. Às vezes, pensamos apenas em conquistar para nós, em desfrutar do melhor do nosso tempo, ganhar dinheiro, ficar famosos, passar em concursos, e não existiria problema algum nisso, se estas não fossem prioridades acima da nossa responsabilidade de construirmos um legado para a nossa descendência. A herança não valerá nada se for a única coisa que deixarmos. Não podemos deixar apenas dinheiro, precisamos deixar valores. Não podemos deixar apenas terrenos, precisamos deixar sentimentos e bons exemplos. Precisamos de arrependimento, devemos nos arrepender de não priorizar a nossa família.

A primeira atitude para colocar a nossa casa em ordem é guardar os nossos tesouros. Os nossos filhos são nossos tesouros, nossa esposa é nosso tesouro, o legado e a honra dos nossos pais são tesouros, nosso casamento é nosso tesouro. Os valores que depositaram em nós, e não o dinheiro que colocaram em nosso bolso, são o nosso tesouro. Precisamos proteger e guardar aquilo que temos de mais valioso.

Em segundo lugar, devemos ter a atitude de nos importar, cuidar, educar e preparar os nossos filhos para o futuro. Não podemos permitir que sejam escravos de vícios e pecados, de um sistema mundano, caído. Os irmãos choraram porque sabiam que não veriam mais o apóstolo Paulo. Se soubéssemos que nossos filhos morreriam amanhã, quais sentimentos teríamos? Podemos morrer amanhã e, caso isso aconteça, o que deixamos para a nossa descendência?

Nossa salvação já foi garantida por Jesus, não precisamos nos preocupar ou nos empenhar para sermos salvos, porque já fomos. Devemos nos dedicar a viver uma vida que vale a pena ser vivida, dedicada aos propósitos eternos, que deixe um legado para as próximas gerações.

É tempo de arrependimento e de termos uma postura correta para que a nossa casa seja colocada em ordem, tempo de deixar de viver a nossa vida para nós mesmos e nos dedicar ao futuro dos nossos filhos, construindo um legado sólido para eles. Tenhamos em mente que uma geração de órfãos gera outra geração de órfãos; não podemos permitir que a orfandade se perpetue por meio de nós. Quando um órfão é curado, por ter descoberto que Deus é Pai, deixa de ser órfão para ser filho, e agora não vai mais gerar órfãos, mas filhos com um legado de bênçãos.

Existe em nós o poder para abençoar, e precisamos assumir a responsabilidade de abençoar os nossos filhos, nossa esposa, nossa casa, nosso relacionamento, nosso ganho, nosso casamento. O poder da vida e da morte está em nossa língua, ou seja, aquilo que profetizamos é determinante aos que estão ao nosso redor.

Que o Senhor nos ensine a ser homens geracionais, homens que cuidam daquilo que nos foi confiado e possui verdadeiro valor. Deus foi o Senhor de Abraão, de Isaque e de Jacó. Abraão gerou Isaque, e Isaque gerou a Jacó, um deixando-lhe um legado que nos alcançou. Temos a responsabilidade de que esse legado alcance aqueles que serão gerados a partir de nós.

“O primeiro ministério que o
céu espera que cumpramos com
excelência é a família, estabelecendo
ordem e cuidados sobre aqueles
que o Senhor nos confiou.”

TELMO MARTINELLO

HOMENS RESOLVIDOS

Podemos aprender lições fundamentais quando lemos Salmos 128. Algumas delas são simples, mas extremamente eficazes para os nossos dias.

> Como é feliz quem teme ao Senhor, quem anda em seus caminhos! Você comerá do fruto do seu trabalho, e será feliz e próspero. Sua mulher será como videira frutífera em sua casa; seus filhos serão como brotos de oliveira ao redor da sua mesa. Assim será abençoado o homem que teme ao Senhor! Que o Senhor o abençoe desde Sião, para que você veja a prosperidade de Jerusalém todos os dias da sua vida, e veja os filhos dos seus filhos. Haja paz em Israel (Salmos 128.1-6).

Apesar de este salmo ser conhecido como um salmo da família, percebemos que é um texto direcionado aos homens. A apontar que um dos benefícios do temor ao Senhor seria ter uma esposa semelhante à videira frutífera, podemos afirmar que, embora os princípios sejam aplicáveis a todos, esta foi uma palavra foi direcionada ao público masculino.

O salmista traz as principais características daqueles que temem ao Senhor e andam em seus caminhos.

Primeiramente, observamos que a recompensa daquele que teme a Deus é a felicidade. Felicidade difere da alegria momentânea, pois é um estado de espírito. O apóstolo Paulo, mesmo preso, disse, enfaticamente, que deveríamos nos alegrar. Com isso, nos ensinou sobre a alegria além das circunstâncias. Não era uma falsa alegria, mas uma alegria interior, capaz de ultrapassar as lágrimas e o pranto.

A alegria que resulta do temor ao Senhor independe das circunstâncias. Ainda que conheçamos a verdade descrita em Salmos 23 — no qual lemos sobre a realidade de que o Senhor é o nosso pastor e, por isso, nada nos falta —, atravessamos momentos nos quais temos falta de algumas coisas e, muitas vezes, parece que esse pastoreio do Senhor não nos priva totalmente das faltas e não compreendemos. Na verdade, porém, mesmo que sejamos ovelhas verdadeiras e o salmo seja real, sofremos algumas faltas, pois a maioria de nós já experimentou a falta de paciência, recursos e uma infinidade de coisas ou situações. Todavia, isso não nos rouba a alegria. Ainda que soframos falta de alguma coisa, ele nos supre nas faltas ou necessidades enfrentadas. Ainda que algo nos falte, não sentimos falta de nada.

A alegria descrita no livro de Salmos é consequência do temor do Senhor, e não das situações. Mas muitos confundem ou estabelecem extremos acerca desse temor. Não podemos confundir temor com medo, mas também não podemos desvincular temor de uma vida reta. O temor do Senhor não é medo extremo, mas considerar, honrar, consultar a Deus em todas as nossas decisões, é uma consciência diária, respeito e a firme decisão de agradá-lo em nossas ações, reações e maneira de viver.

Temer a Deus não é temer pessoas, e sim temer ao Senhor, ter santa consciência da presença dele, saber que, muitas vezes, estaremos sozinhos. Em muitos momentos, nossa esposa não nos vê, nossos líderes não nos acompanharão, mas sabemos que Deus está acompanha, enxerga não apenas os nossos passos, como também o nosso coração.

Temer ao Senhor é não murmurar quando as coisas saem do nosso controle, é não reclamar quando as portas se fecham. É entender que as portas abertas por Deus homem algum será capaz e fechar, assim como não há quem possa abrir aquelas que o Senhor fechou.

O temor do Senhor deve ser aplicado todos os dias, regendo a nossa vida em todas as circunstâncias. O temor é um misto, um ponto de equilíbrio entre medo e fascínio, é saber que Deus é o Senhor Todo-poderoso que tem poder para julgar e levar muitos para o inferno, mas que é, também, um Pai amoroso, um colo para o qual podemos correr, um refúgio em tempos de angústia e tribulação. O temor nos faz andar não apenas em obediência, como também em honra. É o temor que nos faz entender que não é não, e sim é sim. Nem todos aqueles que obedecem, honram; mas aqueles que honram, obedecem. A obediência acontece na presença daquele que tememos, mas a honra se revela na ausência.

Temer ao Senhor é andar naquilo que ele já falou, ainda que a maioria caminhe na direção oposta. Com Noé foi assim. Mesmo sob um comando que parecia loucura, uma ordem contrária à realidade e o contexto que ele vivia, mesmo contra a maioria, ele escolheu obedecer. E é bom sempre lembrarmos que a maioria nunca foi uma opção segura, pois a mesma maioria que gritou "hosana", também gritou "crucifica".

Quando o temor do Senhor rege a nossa vida, andamos no conselho dele, e não das pessoas ou dos homens. Por não andarmos mais no conselho dos homens, nosso comportamento mudou, nossa fonte de conselho e sabedoria agora é o Espírito Santo, e não mais o humanismo e o hedonismo. Vivemos sob um novo padrão ético, moral e cristão estabelecido pelas Escrituras, e não pela opinião da massa.

Salmos 1 afirma que "feliz é aquele que não anda segundo o conselho dos ímpios, que não imita a conduta dos pecadores, e não se assenta na roda dos escarnecedores". Quando andamos de acordo com conselho de pessoas que não temem a Deus, corremos o risco de parar em meio aos processos e, ao parar, acabamos sentados junto aos pecadores e compactuando com eles. É um processo que não percebemos, mas, ao andar no conselho dos ímpios, vamos parar, sentar e cair.

Devemos viver de acordo o nosso manual de vida, a Bíblia; ter prazer nela, meditar e zelar pela prática daquilo que ela nos orienta. Não podemos orar pedindo que Deus abençoe nosso caminho, devemos andar no caminho que ele já abençoou.

Além da felicidade, lemos que o temor do Senhor é garantia de desfrutarmos do fruto do nosso trabalho. Aquele que teme a Deus não sofre pela falta de trabalho, nem deixa de desfrutar da recompensa ou do resultado do trabalho das suas mãos. Deus sempre proverá uma forma de sustento para aqueles que o temem.

Gosto de salientar como é importante desfrutarmos do fruto do nosso trabalho. Não podemos ser imprudentes e gastar o dinheiro de forma irresponsável, mas também não podemos viver na avareza. Desfrutar do fruto do nosso trabalho é aplicar nossas finanças para abençoar a nossa família, promover o melhor que pudermos, nas condições que pudermos.

Um homem que teme ao Senhor é prospero, o que não significa ter dinheiro sobrando, e sim ter necessidades supridas. Ser próspero, de acordo com Salmos 1, é viver alinhado com a vontade de Deus. Um homem próspero sabe viver em todos os tempos, tanto na fartura quanto na escassez. A verdadeira prosperidade nos faz compreender que mais importante que o preço das coisas é possuir coisas de valor. Quando temos uma esposa que nos ama, filhos saudáveis, amigos genuínos e fé inabalável, somos prósperos, assim como quando nos deitamos e dormimos sem o auxílio de remédios e acordamos todas as manhãs com vontade de viver.

A esposa daquele que teme ao Senhor é frutífera como uma videira. Somos responsáveis por proporcionar um ambiente em que nossa esposa possa frutificar. Podemos gerar um ambiente de medo, desconfiança, rebaixamento, desonra, traição e opressão que as impeça de liberar as suas sementes, ou podemos cultivar um ambiente de amor, confiança, transparência, encorajamento, honra e alegria, para que elas frutifiquem e vivam belas e formosas. Muitos maridos reclamam do comportamento frio e áspero das esposas, esquecendo que a maneira como são tratado por elas, na maioria das vezes, é uma colheita das suas próprias ações. Nossa esposa será o reflexo daquilo que somos como maridos.

Muitos vivem infertilidade em suas vidas devido à ausência do temor do Senhor, por serem pessoas murmuradoras. Toda murmuração resulta em esterilidade, enquanto a adoração e a gratidão geram fertilidade.

Lemos que os filhos daqueles que temem ao Senhor são como brotos de oliveira, ou seja, filhos que trazem aos pais esperança, força e vontade de viver. Todos nós temos a esperança de que nossos filhos sejam melhores do que fomos, alcancem lugares mais altos e cheguem mais longe do que conseguimos chegar.

Um homem que teme a Deus construirá um legado, terá longevidade e missão cumprida, pois o texto diz que pelo temor a Deus, um homem poderá ver os seus filhos e o filhos dos seus filhos. Aquele que teme ao Senhor é um homem de joelhos no chão, é um gigante em Deus, sabe que tem uma família para cuidar e não uma sociedade para impressionar. Devemos ser homens que temem ao Senhor, que vivem para transformar, e não para impressionar a sociedade. A nossa maior estratégia para mudar o mundo é estarmos na nossa casa, amando a nossa família, pois a mudança partirá do nosso lar.

Quando tememos a Deus, somos homens resolvidos, somos aqueles que vivem a sua vida como quem completa a carreira, como homens que deixarão um legado, desfrutam do fruto do seu trabalho, terão uma boa velhice e deixarão um impacto profundo para a sua linhagem.

> Bem-aventurado o varão que não anda segundo o conselho dos ímpios, nem se detém no caminho dos pecadores, nem se assenta na roda dos escarnecedores. Antes tem o seu prazer na lei do Senhor, e na sua lei medita de dia e de noite. Pois será como a árvore plantada junto a ribeiros de águas, a qual dá o seu fruto no seu tempo; as suas folhas não cairão, e tudo quanto fizer prosperará. Não são assim os ímpios; mas são como a moinha que o vento espalha. Por isso os ímpios não subsistirão no juízo, nem os pecadores na congregação dos justos. Porque o Senhor conhece o caminho dos justos; porém o caminho dos ímpios perecerá (Salmos 1.1-6).

Que sejamos homens que andam e vivem sob o conselho do Senhor, homens resolvidos, decididos pelo Rei e pelo Reino, que amarão a sua família e transformarão a sociedade do seu tempo. Homens que terão seu prazer na lei do Senhor, que farão das Escrituras a sua bússola e farol, que meditarão na Palavra e serão como plantas frutíferas, frutificando no tempo certo.

“Temer ao Senhor é andar naquilo que ele já falou, ainda que a maioria esteja caminhando na direção oposta.”

TELMO MARTINELLO

LIÇÕES DE BOAZ

A vida de Boaz deixou lições valiosas para o nosso tempo. Ele foi um homem nobre e honrado que se destacou em seus dias. Foi também uma representação teológica e profética do próprio Jesus; pois, assim como Jesus pagou um preço de resgate e remissão pela nossa vida, Boaz foi um remidor na história Rute. Na verdade, ele era filho de Raabe, uma prostituta que foi amada e resgatada por Salmom, ou seja, Boaz era fruto de uma remissão, foi um remidor, apontando para aquilo que Jesus faria pela humanidade.

Boaz também representou uma linhagem sacerdotal, pois participou da constituição da linhagem de Jesus. A genealogia era algo muito importante no Antigo Testamento, e é por meio dela que evidenciamos que Jesus nasceu da linhagem que fora profetizada sobre ele, pois nasceu da linhagem de Davi. Raabe gerou a Boaz; Boaz, remidor de Rute, casou-se com ela e gerou Obede; este gerou a Jessé, que é o pai do rei Davi.

> E Salmom gerou, de Raabe, a Boaz; e Boaz gerou de Rute a Obede; e Obede gerou a Jessé (Mateus 1.5).

A Bíblia relata que, devido à grande fome que Israel enfrentou na época dos juízes, um homem da tribo de Judá, chamado Elimeleque, decidiu se mudar para Moabe com sua mulher e seus dois filhos. Todavia, depois de algum tempo, Elimeleque e seus dois filhos morreram, deixando Noemi, Rute e Orfa viúvas. Diante do contexto de morte e desamparo, Noemi resolveu retornar para Israel. Reconhecendo que jamais poderia gerar outros filhos que pudessem casar as noras que ficaram viúvas, conforme era a lei da época, ela liberou as duas noras para que pudessem reconstruir e refazer suas vidas em Moabe, terra natal de ambas. O livro de Rute relata que Orfa chorou, lamentou muito, mas decidiu ficar em Moabe, aceitando o conselho da sogra. Rute, porém, decidiu ficar ao lado de Noemi e partir com ela para Israel. A fala da nora deu origem a um dos versos mais conhecidos da história:

> Disse, porém, Rute: "Não me instes para que te deixe e me afaste de ti; porque, aonde quer que tu fores, irei eu e, onde quer que pousares à noite, ali pousarei eu; o teu povo é o meu povo, o teu Deus é o meu Deus." (Rute 1.16, *ARC*).

Rute nasceu moabita, mas escolheu seguir com Noemi para Israel, tornou-se israelita por opção, reconheceu o Deus de Israel como o seu Deus, sem imaginar que entraria para a genealogia de Jesus. Tudo isso foi possível porque Rute foi achada, resgatada por seu remidor Boaz, um homem com quem aprendemos princípios necessários para o nosso tempo:

> Noemi tinha um parente por parte do marido. Era um homem rico e influente, pertencia ao clã de Elimeleque e chamava-se Boaz. Rute, a moabita, disse a Noemi: "Vou recolher espigas no campo daquele que me permitir". "Vá, minha filha", respondeu-lhe Noemi. Então ela foi e começou a recolher espigas atrás dos ceifeiros. Casualmente entrou justamente

> na parte da plantação que pertencia a Boaz, que era do clã de Elimeleque. Naquele exato momento, Boaz chegou de Belém e saudou os ceifeiros: "O Senhor esteja com vocês!" Eles responderam: "O Senhor te abençoe! "Boaz perguntou ao capataz dos ceifeiros: "A quem pertence aquela moça?" O capataz respondeu: "É uma moabita que voltou de Moabe com Noemi" (Rute 2.1-6).

Boaz era um homem bem-sucedido, influente, com muitos empregados sob seus cuidados e financeiramente abastado. Mas, quando lemos os versos mencionados, a primeira lição que fica evidente é que ele sabia se relacionar com as pessoas. Ao chegar em Belém, Boaz saudou os ceifeiros com a paz, chegou em paz, conversou com o capataz, e isso nos ensina que homens como ele sabem se portar tanto com a escassez quanto com a abastança. Mesmo sendo rico e bem-sucedido, saudou os ceifeiros, falou com o capataz, ou seja, não foi soberbo e não agiu com arrogância. Boaz demostrou humildade, pois um homem remidor, um homem de honra, é relacionável, alguém que sabe tratar a faxineira e o presidente da empresa com a mesma dignidade. Homens como Boaz são íntegros, pacificadores, não perturbadores; onde chegam estabelecem paz e segurança, não tribulação. Para constrangimento nosso, muitos homens não estabelecem paz quando chegam a sua casa, mas levam medo, insegurança e intimidação. Alguns deixam os filhos, a esposa e até os cachorros amedrontados quando entram em casa. Com Boaz era diferente, ele era um homem de paz.

Boaz também era um homem protetor. Vejamos nos versos a seguir:

> Disse então Boaz a Rute: "Ouça bem, minha filha, não vá colher noutra lavoura, nem se afaste daqui. Fique com minhas servas. Preste atenção onde os homens estão ceifando, e vá atrás das moças que vão colher. Darei ordem aos rapazes para que não toquem em você. Quando tiver sede, beba da água dos potes que os rapazes encheram" (Rute 2.8,9).

Quando Boaz disse para Rute dera ordem para que os rapazes não a tocassem indevidamente ou a incomodassem, demonstrava que ela estaria protegida. Boaz era um protetor, e, para a mulher, a segurança representa cerca de 90% de um homem. Homens como Boaz são protetores, sabem se colocar à frente de batalhas para que sua casa seja protegida, para que seus filhos, esposa, amigos, sintam segurança e proteção ao lado deles, não medo ou desconforto. Boaz sabe se posicionar de modo honroso; conferir segurança aos seus, independentemente das situações ao seu redor; promover a paz, mesmo em temor; transmitir paz aos que estão ao seu lado.

Boaz sabe ser um bom represente de Deus Pai para os filhos, pois nossos filhos transferem para Deus aquilo que receberam por meio da nossa paternidade. Esse posicionamento de segurança é característica de homens resolvidos, não de meninos, que perdem tempo com intrigas ou picuinhas, que ficam tristes por um ter excluído o outro nas redes sociais. Homens precisam ser resolvidos, não meninos manhosos.

A educação de Boaz foi tão notável que impressionou e animou o coração de Rute. Ela mesmo chegou a dizer: "Continue eu a ser bem acolhida, meu senhor! O senhor me deu ânimo e encorajou sua serva, e eu sequer sou como uma das suas servas!" (cf. Rute 2.13). Ele era educado e gentil, e isso deve ser um alerta para não confundirmos hombridade com grosseria. Ser homem não significa ser grosseiro, mas cordial, gentil, educado e generoso.

Boaz nos ensina que devemos acolher bem as pessoas, proferir palavras de encorajamento, ou seja, saber falar e conversar da maneira certa, saber celebrar e se alegrar com as conquistas e alegrias da nossa esposa. Muitos homens precisam aprender a impulsioná-la, celebrar as conquistas, vibrar com as vitórias dela. Precisamos vigiar, pois quando não assumimos o papel de maior encorajador de nossa esposa, alguém ocupará esse lugar. Em meio às crises da vida, se outro estiver nesse lugar que deveria ser ocupado por nós, corremos o risco de perder nosso casamento e família.

Aprendemos com Boaz que os homens podem extrair o melhor ou o pior das mulheres, dependendo do ambiente que proporcionam, ou da maneira como agem. Boaz é um encorajador; ele encoraja sua esposa, não a deprecia, não a oprime, não a envergonha publicamente.

Muitos homens depreciam sua esposa, falam mal delas para as mães e colocam inimizade entre as duas. Inúmeras mulheres não gostam de estar com os familiares do marido porque se sentem excluídas, deixadas de lado, marginalizadas, pois os próprios maridos semearam em sua parentela uma visão negativa delas.

O pastor Jucélio de Souza, do ministério MEVAM de Campinas (São Paulo), costuma falar que os homens devem ter braço de ferro e mãos de veludo. O braço de ferro demostra a força e o posicionamento de um homem resolvido; as mãos de veludo demonstram a leveza apropriada no tocar. Em Provérbios 30, Salomão falou sobre quatro coisas que ele não conseguia entender: o caminho da águia no céu;

o caminho da serpente sobre a rocha; o caminho do navio em alto mar; e o caminho do homem com uma moça. Todos eles apontam para duplas. Quando observo a primeira, céu e águia, compreendo que, muitas vezes, nossa esposa é como as águias querendo alçar voo, mas nós não queremos ser o céu para elas. Muitos maridos ainda se comportam como gaiolas.

Precisamos ser o céu para a nossa esposa, nossos filhos, nossos discípulos, para aqueles que caminham conosco. Boaz foi o remidor, mas a sua história está descrita no livro que carrega o nome da sua esposa. Não existe um livro de Boaz, mas existe o livro de Rute. Isso nos mostra que Boaz representa homens que não se importam que os filhos, a esposa, os discípulos ou amigos cresçam mais que eles.

Ser Boaz é saber ser o céu que as pessoas precisam para que consigam alçar seus voos. Deus está buscando homens dispostos a serem como Boaz, homens que, se outros se destacarem ou brilharem mais que eles, saberão sentar e celebrar o sucesso do outro. Não podemos ser gaiolas, fomos chamados para ser céu, ser remidor, educado e gentil, encorajador; homens que sabem se portar diante de cristãos e não cristãos, que sabem se relacionar e conversar com as pessoas tanto abastadas como pobres; homens serenos, que abrem os lábios e estabelecem a paz; homens simples, mas profundos.

Aprendemos com Boaz que devemos ser generosos, aborrecer a avareza, doar e não esperar recompensa ou doação. O verso 20 do capítulo 2 do livro de Rute relata a exclamação de Noemi acerca de Boaz:

> E Noemi exclamou: "Seja ele abençoado pelo Senhor, que não deixa de ser leal e bondoso com os vivos e com os mortos!"

E acrescentou: "Aquele homem é nosso parente; é um de nossos resgatadores!" (Rute 2.20).

As pessoas ao nosso redor nos observam, principalmente os nossos filhos; atentam para o nosso comportamento em relação aos que enfrentam alguma situação de necessidade, observam a nossa atitude. Homens como Boaz são generosos, e a generosidade não está relacionada ao que temos, mas à nossa capacidade de doar, de partilhar aquilo que possuímos. Homens como Boaz são generosos; são aqueles que fazem o que precisa ser feito, independentemente se vai dar certo ou não; são bons com os vivos e com os mortos, ou seja, não envergonham ou desonram a memória daqueles que já partiram; sabem carregar um legado e honrar as pessoas além da vida.

A outra lição de Boaz é sobre não sermos procrastinadores. As palavras de Noemi são indicadores que mostram que ele não deixava as coisas para o dia seguinte:

Disse então Noemi: "Agora espere, minha filha, até saber o que acontecerá. Sem dúvida aquele homem não descansará enquanto não resolver esta questão hoje mesmo" (Rute 3.18).

Boaz não deixava nada para amanhã. Precisamos ser homens resolvidos, mas também aqueles que resolvem as coisas. Não podemos viver procrastinando, deixando a lâmpada queimada por três meses sem ser substituída. Boaz não dorme sem resolver o que precisa ser resolvido, ele tipifica homens diligentes, firmes, não homens preguiçosos, acomodados, procrastinadores ou lamentadores; homens como Boaz são "fazedores", não lamentam; levantam-se e vão fazer.

Homens como Boaz não são perfeitos; cometem erros, mas seus acertos falam mais alto. As coisas que as mulheres mais reclamam com a minha esposa em relação aos seus maridos é a insegurança e a procrastinação. O que mais inquieta as mulheres hoje é a percepção de homens que não decidem e não proporcionam segurança para a sua família.

Boaz é um remidor. Homens como ele restauram e resgatam a autoestima, os valores e a honra de mulheres que tiveram a esperança destruída, como Noemi. Ela perdeu o marido e os filhos, mas Boaz veio para restituir a alegria, a doçura que ela havia perdido. Homens como Boaz resgatam valores que mulheres perderam por terem sido feridas, machucadas, abandonadas e abusadas, e não apenas abuso físico, mas abuso de alma, abuso mental, domínio e manipulação, cadeias mentais, e emocionais, gaiolas nas quais muitos homens encarceram mulheres.

Como homens, é nossa responsabilidade sermos Boaz em nosso tempo, para a nossa esposa e nossos filhos. Somos responsáveis pela proteção, pela segurança e pelos voos daqueles que estão ao nosso redor. Precisamos ser remidores, protetores, generosos e encorajadores, pois fomos chamados para estabelecer segurança e paz àqueles que o Senhor nos confiou.

Deus está nos dando a oportunidade e o privilégio de sermos Boaz. Assim como Jesus resgatou, amou e redimiu a igreja, sejamos aqueles que mudarão a história de mulheres abusadas, feridas e abandonadas.

Nossa família, as pessoas ao nosso redor, o mundo está na expectativa de que sejamos como Boaz. Pessoas quebradas não esperam juízes ou acusadores, mas homens que sejam como Boaz, homens que sejam remidores para elas, assim como Boaz foi na vida de Rute e Noemi.

“Deus está buscando homens dispostos a serem como Boaz, homens que, se outros se destacarem ou brilharem mais que eles, saberão sentar e celebrar o sucesso do outro.”

Telmo Martinello

MENTE DE GOVERNO

Quando falamos em governo não falamos com meninos, mas com homens. Contudo, entendemos também que, toda palavra sobre governo é uma oportunidade para que meninos sejam transformados em homens, pois se tornar homem e ter uma mente de governo é um processo. Tornar-se um homem é um processo que envolve decisões, escolhas, renúncias e responsabilidades. Podemos ficar idosos sem nos tornar homens de verdade, sem ser homens responsáveis, com uma mentalidade de governo.

Biblicamente, a capacidade, o dom ou a posição para governar é algo que Deus deu para o homem; é algo inerente aos homens. A mulher não foi chamada para a posição de governo, e, mesmo assumido essa posição diversas vezes, devido à ausência de um homem para governar, não é natural para elas. Não é por mérito ou demérito, mas apenas uma questão de posição. Não significa que o homem é melhor que a mulher, apenas que fomos chamados para posições distintas e fundamentais. Assim como não podemos considerar ou dizer que o pulmão é melhor que o coração, pois, se um dos dois deixar de funcionar, o corpo morre. Não existe diferença de importância ou valor entre homens e mulheres, apenas de posição e propósito.

Existe um homem na Bíblia que se destacou por sua grande habilidade ao governar, mas nem sempre foi um governante.

Muitas lições são extraídas quando paramos para conhecer e estudar a mentalidade de governo e a vida de José.

A Bíblia nos ensina que devemos olhar e aprender com os heróis da fé, com nossos líderes e pessoas que possam agregar valor à nossa formação e ao nosso caráter. Imitar pessoas assim é bíblico e inteligente. Quando olhamos para pessoas que caminharam na fé com um bom testemunho, deixando um legado que possa ser seguido, é inteligente da nossa parte imitar a fé, a vida e a postura delas. Por isso, podemos olhar e falar sobre a vida de José. A história de um homem que foi vendido pelos seus irmãos, traído, acusado e preso injustamente; uma vida com tantos dramas que inspirou a produção de muitos filmes e novelas.

A história de José é realmente muito emocionante, pois apresenta alguns detalhes e momentos muito intensos, um enredo que trabalha questões profundas do coração, relacionamentos entre irmãos, situações e contextos familiares delicados. A vida de José nos mostra a importância do perdão e da restauração de relacionamentos, pois o caminho da reconciliação é um caminho de bênção. Sabemos que foi assim com Jacó e Esaú, que também tiveram desavenças, e, quando Jacó decidiu encontrar e se reconciliar com seu irmão, Esaú, recebeu uma bênção no caminho. Aprendemos que sempre que partimos na direção ou caminho do perdão e da reconciliação, somos surpreendidos pelas bênçãos e pelos presentes de Deus. Sempre que escolhemos trilhar a estrada da reconciliação, o Senhor nos proporciona uma bênção no caminho.

José experimentou isso ao decidir entrar pelo caminho da reconciliação. Mesmo vendido, espancado, machucado, ignorado e invejado pelos irmãos, não se deixou vencer pelas circunstâncias.

Deus, em sua soberania, pode trabalhar no coração e na mentalidade de governo revelados pelas atitudes e postura de José. Ele ainda não era governador, mas podemos ver, por meio das suas decisões e atitudes, que já existia nele uma mente de governo, uma mentalidade de governante, uma habilidade para liderança. Ele estava preso, mas mesmo em prisão, não era um governador, mas tinha uma mente de governador.

Deus não quer apenas nos levantar para ocuparmos posições de liderança, quer que tenhamos também mente e postura de líder. Às vezes, o homem casa tem dois ou três filhos, mas continua com a mentalidade de menino, pensando com o egoísmo característico da infância, querendo ter seus momentos sozinho, dias reservados para si mesmo, gastando tempo jogando videogame, sem compreender que seus compromissos agora são outros, que a mentalidade precisa ser diferente. Homens assim precisam virar a chave, entender que não são mais meninos para continuar nas mesmas atividades de meninos. Devem ser homens que protegem, sustentam a família, zelam pela casa, educam os filhos, que cortam a grama nas tardes de sábado e colocam a "panela para ferver". É necessário que a mente seja transformada. Quando não existe uma mudança de mentalidade, temos meninos ocupando a posição de governo, e isso é disfuncional.

Não raramente, observamos homens em posição de governo que não mudaram a mentalidade e estão diante de cidades, estados e diversas esferas de governo, liderando como se governassem coisas de meninos, como se estivessem lidando com as mesmas responsabilidades de quando tinham 15 anos.

No livro de Gênesis, capítulo 41, encontramos lições fantásticas que José nos deixou. Sabemos que ele não foi qualquer um, mas foi um governador que entrou para história, um homem que se tornou o segundo nome mais importante do Egito. O próprio faraó o designou e estabeleceu como autoridade, ao ponto de nada ser feito ou desfeito sem a autorização de José. Desse feito, podemos extrair lições importantes, mas vamos refletir sobre algo específico primeiro.

> O faraó mandou chamar José, que foi trazido depressa do calabouço. Depois de se barbear e trocar de roupa, apresentou-se ao faraó. O faraó disse a José: "Tive um sonho que ninguém consegue interpretar. Mas ouvi falar que você, ao ouvir um sonho, é capaz de interpretá-lo". Respondeu-lhe José: "Isso não depende de mim, mas Deus dará ao faraó uma resposta favorável" (Gênesis 41.14-16).

A primeira lição que aprendemos é que faraó "mandou chamar" José. Ele foi chamado, não se ofereceu. Um homem com mente de governo sabe quem é, não precisa mostrar que é. Conhece o seu valor, não se oferece, não se expõe antes do tempo, espera ser chamado. Precisamos aprender que uma mente de governo não se oferece, pois quem se oferece perde o valor, não sabe quem é. Devemos ser disponíveis, e não oferecidos.

Outro aspecto interessante é que, ao ser chamado por faraó, José só foi até ele após se barbear e trocar de roupa. Deus sempre nos ensina com os detalhes de sua Palavra. O fazer a barba e trocar a roupa nos fala sobre a importância de nos portarmos adequadamente, sobre discernirmos a postura devida nos diversos ambiente em que estamos inseridos. O livro de Provérbios fala sobre a importância de nos apresentarmos apropriadamente quando estamos diante de uma autoridade, pois isso é sabedoria.

Uma mente de governo sabe se portar, sabe respeitar autoridade, não é arrogante ou prepotente. Muitos militares que conhecemos relatam mudar sua abordagem branda e educada diante da rispidez daquele que é abordado. Não podemos ser arrogantes, tolos ou presunçosos, devemos ser sábios e saber nos portar diante de cada pessoa ou ambiente. Não se trata de bajulação, mas de sabedoria.

Outra lição que a postura de José nos ensina é que uma mente de governo sabe se portar com humildade e reconhece que tudo o que tem vem do Senhor. Quando faraó menciona ter ouvido sobre a habilidade de José para interpretar sonhos, José transfere a honra e o mérito das interpretações para Deus. Uma mente de governo sabe que tudo vem do Senhor: a capacidade de governar, a capacidade de interpretar, a capacidade de liderar, pregar, cantar, exercer paternidade. Uma mente de governo não tem um discurso carregado de soberba, pois reconhece que Deus é fonte de tudo.

Não é possível mensurar a humildade de uma pessoa, mas sabemos que alguém é humilde quando nos despedimos dela nos sentindo melhores do que estávamos. Pessoas humildes não rebaixam as outras, elas encorajam, conseguem nos fazer acreditar que conseguimos e somos capazes. Pessoas humildes não expressam falsa humildade rebaixando a si mesmas. Sabem quem são, mas levantam as outras, impulsionam as pessoas para que sejam melhores.

Precisamos reconhecer a fonte de todos os nossos títulos, graduações, especializações, mestrados, doutorados, habilidades diversas e toda infinidade de conquistas que alcançamos. Tudo o que temos e o que somos resulta da bondade e da misericórdia do Senhor sobre nós, pois, sem ele, nada podemos fazer.

Do verso 45 ao 53 do capítulo 41 do livro de Gênesis, vemos que faraó concedeu um título para José, e ele imediatamente partiu para exercer as obrigações da sua titularidade:

> O faraó deu a José o nome de Zafenate-Paneia e lhe deu por mulher Azenate, filha de Potífera, sacerdote de Om. Depois José foi inspecionar toda a terra do Egito. José tinha trinta anos de idade quando começou a servir ao faraó, rei do Egito. Ele se ausentou da presença do faraó e foi percorrer todo o Egito. Durante os sete anos de fartura a terra teve grande produção. José recolheu todo o excedente dos sete anos de fartura no Egito e o armazenou nas cidades. Em cada cidade ele armazenava o trigo colhido nas lavouras das redondezas. Assim José estocou muito trigo, como a areia do mar. Tal era a quantidade que ele parou de anotar, porque ia além de toda medida.
>
> Antes dos anos de fome, Azenate, filha de Potífera, sacerdote de Om, deu a José dois filhos. Ao primeiro, José deu o nome de Manassés, dizendo: "Deus me fez esquecer todo o meu sofrimento e toda a casa de meu pai". Ao segundo filho chamou Efraim, dizendo: "Deus me fez prosperar na terra onde tenho sofrido". Assim chegaram ao fim os sete anos de fartura no Egito (Gênesis 41.45-53).

José saiu para inspecionar toda a terra do Egito. Após deixar a presença de faraó, José partiu para percorrer a terra e fazer o trabalho, pois uma mente de governo levanta-se e faz. José não ficou perguntando sobre direitos ou condições, nem como ele deveria exercer a função e a autoridade que havia recebido. Ele era o segundo em comando e não agiu como um procrastinador, deixando tudo para o dia seguinte.

Muitos homens não têm mente de governo ou proatividade porque não foram encorajados por seus pais. Em nome de Jesus e pela misericórdia de Deus, quero dizer que cada um de nós pode ser diligente naquilo que é colocado em nossas mãos para ser feito. Uma mente de governo faz, tem a atitude, mas o problema de muitos homens é que, para cada solução, eles encontram uma desculpa.

Não podemos ficar andando no mesmo lugar. Quando recebemos uma missão, ela deve ser considerada missão cumprida, pois se trata de princípios espirituais. Uma mente de governo entende e obedece ao princípio de autoridade, por isso precisamos acreditar que, se uma autoridade nos comissionou, é porque Deus sabe que somos capazes de executar o que nos confiou.

José tinha apenas 30 anos. Isso nos ensina que uma mente de governo não resulta do tempo nem está relacionada à idade ou velhice, mas à obediência, perseverança e ao temor a Deus.

> Os que têm idade é que devem falar, pensava eu, os anos avançados é que devem ensinar sabedoria. Mas é o espírito dentro do homem que lhe dá entendimento, o sopro do Todo-poderoso. Não são só os mais velhos, os sábios, não são só os de idade que entendem o que é certo (Jó 32.7-9).

Os versos mencionados descrevem a realidade de uma mente de governo: não depende da idade, mas do entendimento que o Espírito dá ao homem. Por isso, encontramos meninos de 17 anos com mente de governo, e homens de cabelos brancos com mentalidade de meninos.

Outro aspecto interessante é: o texto relata que, antes de começar os anos de fome no Egito, José teve dois filhos. O nome deles representa etapas fundamentais para que possamos ocupar os lugares de governo destinados a nós.

Biblicamente, sabemos que todo nome trazia um significado para aquele que o recebia, representava um tempo, um propósito ou um momento que alguém estava vivendo. O nome do primeiro filho de José foi Manassés, e era a forma de ele dizer que Deus o fez esquecer todo o sofrimento e toda a casa de seu pai.

José enfrentou a inveja dos irmãos, que o venderam, machucaram, além de cometerem todas as maldades possíveis com ele. José teria todo o direito e causas plausíveis para estar magoado, indignado e ferido com os irmãos. Contudo, antes de entrar em estações difíceis, precisamos estar cientes de duas coisas: primeiro, Manassés tem que nascer, ou seja, nosso passado precisa estar resolvido. Quando entramos em tempos difíceis sem ter o nosso passado resolvido, temos grandes chances de perecer. Nosso êxito em tempos difíceis depende de feridas curadas e ofensores perdoados.

Costumo dizer que, antes de entrar em dias difíceis, precisamos "lavar os pratos". Às vezes, reclamamos tanto que alguém cuspiu e esquecemos que o lavar e tornar o prato disponível outra vez depende de uma decisão nossa. Uma mente de governo está disposta a colocar o prato de volta na mesa, não importa quantas vezes esse prato seja cuspido e seja necessário lavá-lo.

A mentalidade de governo nos ajuda a receber a honra de quem nos oferece honra, sem nos importarmos com quem nos trata com desonra. A honra e a desonra perdem a importância quando o nosso fazer ou viver é para agradar a Deus.

É preciso que Manassés nasça na vida de muitos de nós. Há uma cura de Deus liberada para este tempo, mas é necessário resolver o passado e liberar perdão, pois o Senhor deseja colocar muitos de nós em lugares altos. Se o nosso coração não gerar Manassés e se não resolvermos as situações do passado, porém, trataremos pessoas novas com práticas antigas.

Temos a tendência de não confiar mais em pessoas porque um dia pessoas nos feriram. Essa não é uma mentalidade de governo, pois uma mente de governo precisa estar disposta a ser machucada.

Todo pai tem o poder de não se ofender. Por mais que os filhos façam coisas erradas, digam coisas ásperas, pais estão sempre dispostos a amar e receber o filho de volta. Assim Deus trata conosco. Homens de Deus, homens que desenvolveram uma mente de governo e alcançaram um coração disposto a sofrer a ofensa, sabem que não há ofensa que Deus não possa curar.

Manassés nos ensina a resolver as guerras antigas antes de enfrentarmos novas batalhas. Não comece um novo financiamento se o antigo está enrolado, não abra um novo ministério se você deixou um rastro de dor no fechamento da antiga igreja. Não abra um ministério se o seu coração ainda está ferido, pois somente quando a ferida é fechada, que um ministério pode ser aberto. Não abra uma empresa se você ainda não perdoou a empresa da qual você foi demitido. Uma mente de governo resolve as coisas antes de prosseguir para aquilo que está adiante de si.

Lembro-me da época em que Deus começou a nos mover para abrirmos a igreja. Falando com o meu pastor querido Judson de Oliveira, da Igreja Batista de Contagem (Minas Gerais), compartilhei que estávamos tranquilos. Eu estava em um bom trabalho, com meu coração em paz, mas falei que percebia Deus direcionando a abrirmos a Abba Pai, e ele me fez uma pergunta determinante naquele momento: "Você quer provar alguma coisa para alguém?". Eu havia falido uma igreja. Anos antes, tínhamos experimentado o fechamento de uma igreja, e não foram poucos os que pisotearam nas nossas cinzas. Então, aquela pergunta foi como flecha dentro de mim, entendi que ele estava querendo dizer justamente isto: não entre em uma guerra se as guerras antigas não foram resolvidas. Orei, coloquei meu coração para o Senhor, e ele mesmo testificou ao meu coração que não existia em mim vontade alguma de provar algo para as pessoas, que era o oposto, eu não queria nem saber de igreja na época; afinal, "gato que toma tijolada tem medo de olaria". E quando eu disse que estava resolvido, entendemos que a Abba Pai estava no tempo de nascer.

Não podemos entrar em novas guerras enquanto as guerras antigas não estiverem resolvidas. Somente depois de ter os sentimentos do passado resolvidos, José teve o segundo filho, que recebeu o nome de Efraim, cujo significado era: Deus me fez prosperar na terra onde tenho sofrido. Não podemos prosperar ou ser expostos enquanto somos imaturos ou estamos com feridas abertas, pois Efraim só vem depois de Manassés.

Muitos homens não prosperam porque Manassés ainda não nasceu, e isso atrasa o nascimento de Efraim. Não prosperam porque ainda possuem muitas questões não resolvidas e, enquanto as feridas e o passado não forem resolvidos, não podem prosperar. Muitos não prosperam não por falta de capacidade, mas porque Deus impede que isso aconteça, pois sabe que podem se perder por não estarem aptos ao crescimento. O único segredo para o crescimento é deixar Manassés nascer primeiro, é ir para o secreto e lançar todos os títulos, habilidades, frustrações e aptidões aos pés do Senhor.

Quando Manassés nascer, quando o passado estiver resolvido, a cura vem e Efraim pode nascer, outros filhos podem ser gerados e podemos prosperar. A prosperidade só pode chegar depois que a cura nascer. Quando o tempo de prosperar é chegado, porém, não podemos pensar que isso é para nos exaltar, e sim para servirmos com humildade.

Uma mente de governo nos faz homens perdoadores, diligentes, focados, que não perdem tempo com ressentimentos e distrações, que lavam os pratos e prosseguem para uma nova fase.

Muitas vezes, o céu está pronto para liberar Efraim sobre a nossa vida, mas espera com expectativa o nascimento de Manassés com dores de parto.

Uma mente de governo não se oferece, espera ser chamada. Sabe portar-se diante de uma autoridade, sabe portar-se humildemente, reconhecendo de onde vem tudo que tem. Uma mente de governo não procrastina, tem atitude. Respeita o princípio de autoridade, que não é fruto da velhice ou idade, mas do temor do Senhor. Abre o coração para nascer a cura, Manassés primeiro, para que depois a prosperidade venha à luz. Uma mente de governo tem celeiros cheios para os dias de escassez.

> Deus não quer apenas nos levantar para ocuparmos posições de liderança, mas deseja que tenhamos mente e postura de líder.

TELMO MARTINELLO

PATERNIDADE

Paternidade é um tema que fala muito ao meu coração. Entendemos que a identidade é determinante na nossa vida. Mesmo que reconheçamos Jesus como Senhor e norteador de tudo, temos uma frase que conduz todo o nosso trabalho como igreja, que nos movimenta e nos caracteriza, e que, inclusive, deu origem ao nome da igreja Abba Pai, que é: "Restaurando a identidade de filhos".

Para muitos, andar sobre as águas da paternidade é um milagre semelhante ao andar de Pedro quando ousou fazer das águas o chão para os seus pés. Andar sobre as águas da paternidade é libertador e transformador, nos conduz a um lugar de alegria, pois influencia diretamente a nossa maneira viver, movendo a nossa vida ainda que não percebamos.

A paternidade tem tudo a ver com a família, e sempre gosto de lembrar que a família é a estrutura-base, o elemento principal de um tripé que sustenta a sociedade, ela é o embrião, o princípio civilizatório de qualquer nação. Sem a formação de uma família, sem um pai e uma mãe, os filhos não existem. Considerando a importância da família, percebemos a relevância e o papel fundamental do pai, da paternidade, assim como o papel indispensável da mãe e a contribuição insubstituível da maternidade.

Pais exercem uma liderança natural, e essa liderança atua para curar ou ferir, abençoar ou amaldiçoar.

O pai tem autoridade sobre os filhos, reconheçam eles ou não, isso não altera essa autoridade, pois a paternidade tem um princípio. Princípios são imutáveis, funcionam independentemente da crença.

Todo pai já foi filho, e todo filho, provavelmente, será pai um dia. Tanto um como outro serão influenciados pelo princípio da paternidade. O pai tem autoridade, inclusive, de liberar, de comunicar a identidade dos filhos. A identidade é marca e define quem somos. Quando dizemos o nosso nome, revelamos quem somos. Quando alguém ou algum órgão solicita nossos documentos, sabemos que ali muitas coisas sobre nós são reveladas: nome, cidade de origem, nossos pais... Assim, a nossa identidade como pessoas revela de onde viemos, quais características e vivências formaram a pessoa que somos hoje e nos fizeram chegar onde estamos. Revela o amparo e os pilares que tivemos para ser quem somos e estar onde estamos.

O poder do pai para liberar a identidade é muito forte. Em Gênesis 35, podemos ler sobre o nascimento Benjamim. Raquel estava dando à luz, e a Bíblia relata que, prestes a deixar esta vida, porque estava morrendo, deu ao menino o nome de Benoni, que significava "filho da minha dor, da minha aflição". Na cultura de Israel, o nome sempre apontava um propósito, um significado, um legado. Ao batizar uma criança, o pai determinava uma sentença seria chamado de "filho da dor" por toda a vida. Mas seu pai, Jacó, compreendendo o peso e o significado daquele nome, mudou o nome do menino para Benjamim, cujo significado era "filho da minha força, da minha destra, filho próspero". Jacó, ao alterar o nome de Benjamim, mudou também o seu destino.

O profeta Elias é outro exemplo que gosto muito de mencionar ao falar sobre identidade. O significado do seu nome é: "Só o Senhor é Deus". Elias cresceu ouvindo que só o Senhor era Deus, teve essa verdade impressa em seu íntimo, pois sua identidade carregava a verdade de que só o Senhor era Deus. Ao se deparar em um contexto no qual, para muitos profetas, Baal era deus, Elias não conseguiu compactuar com aquela realidade, pois sua identidade estava bem firmada na verdade de que o Deus era o Senhor, e não Baal.

Foi justamente por ter uma identidade firmada que ele desafiou e venceu os profetas de Baal. Quem sabe quem é, não tem medo de enfrentar os desafios da vida.

Assim como a identidade era dada pelo pai, o nome era fruto de uma decisão e escolha paterna. Precisamos entender que a revelação de quem Deus é determina como nos relacionamos com ele, e essa revelação terá um impacto profundo em quem somos.

Quando Deus é, para nós, apenas um "Deus de domingo à noite", nos relacionamos com ele apenas aos domingos. Quando o enxergamos como "Deus da prosperidade", vamos nos relacionar com ele como nos relacionamos com o gerente de um banco. Se para nós ele for apenas um Deus que cura, vamos nos relacionar com ele apenas como quem procura por um bombeiro no dia do incêndio. Mas se nos relacionarmos com ele reconhecendo-o como um Pai que ama, cuida e corrige os filhos quando é necessário, sempre que precisarmos, buscaremos nele socorro e amparo.

Pedro também compreendeu isso. Após ter a revelação de quem Jesus era, teve a própria identidade revelada e afirmada pelo Mestre:

> Chegando Jesus à região de Cesareia de Filipe, perguntou aos seus discípulos: "Quem os homens dizem que o Filho do homem é?" Eles responderam: "Alguns dizem que é João Batista; outros, Elias; e, ainda outros, Jeremias ou um dos profetas". "E vocês?", perguntou ele. "Quem vocês dizem que eu sou?" Simão Pedro respondeu: "Tu és o Cristo, o Filho do Deus vivo". Respondeu Jesus: "Feliz é você, Simão, filho de Jonas! Porque isto não lhe foi revelado por carne ou sangue, mas por meu Pai que está nos céus. E eu lhe digo que você é Pedro, e sobre esta pedra edificarei a minha igreja, e as portas do Hades não poderão vencê-la" (Mateus 16.13-18).

Quando Pedro compreendeu quem Jesus era, descobriu quem ele havia sido criado para ser. Conhecer ao Senhor deu nome, identidade e um destino para Pedro. A revelação de quem Deus é determina como nos relacionamos com ele. A paternidade de Deus é maravilhosa, enquanto a paternidade terrena tem influência direta e, muitas vezes, negativa, nos deixando feridos, machucados ou enfermos, a celestial é saudável.

Uma paternidade saudável gera filhos saudáveis. Logo, a paternidade doente gera filhos doentes. Muitos pais amam seus filhos apenas colocando "comida na mesa", mas são emocionalmente ausentes, indiferentes com as guerras e emoções dos filhos.

Colocar comida na mesa ou pagar as contas não resume ou define a responsabilidade dos pais. Filhos precisam de colo para chorar as lutas e os desafios da escola, de cada fase que a vida traz. Filhos não querem apenas comida, precisam do abraço, do colo, do alimento emocional que supre as necessidades básicas de todo ser humano: ser amado, aceito e compreendido.

Muitos pais são abusivos, verbalmente e fisicamente. Todo abuso produz rebeldia e disfunção. Muitos homens que hoje são disfuncionais tiveram um pai abusivo. A boa notícia é que há cura para toda disfunção pela paternidade de Deus.

Muitos pais se relacionam com os filhos por "desempenho" e geram neles necessidade de agradar a Deus e as pessoas pelo que realizam. Condicionam o amor, a paternidade ou o merecimento ao desempenho que os filhos apresentam, produzindo essa dependência de agradar as pessoas, empresas e até igrejas. Muitos pastores têm o seu valor relacionado ao êxito de levantar recursos financeiros por meio dos fiéis, vivem sob esse peso do desempenho. Seu valor é estabelecido por um gráfico financeiro, pela habilidade de adquirir altos índices de dízimos e ofertas na igreja. Essa não é a realidade do Reino, mas de um sistema diabólico que machuca as pessoas. A verdade do Reino de Deus é que o nosso valor não está no número de membros da nossa igreja, no ministério, na célula ou no pequeno grupo, nem número de *likes* nas redes sociais. Nosso valor está no simples fato de existirmos e no sangue derramado para nos reconciliar com o Pai. Todo o nosso valor está concentrado em Jesus.

Existem também pais competitivos e perfeccionistas, que formam filhos frustrados. Nesse contexto surgem os suicidas, pois os filhos crescem na prisão do perfeccionismo, como se fossem bonecos e não aprendem a lidar com as perdas, frustrações e desventuras da vida.

No Japão, a maior causa de morte entre os adolescentes é o suicídio — maior do que todas as doenças e acidentes.[1] Estima-se que a causa é educacional, pois foram ensinados a vencer, a ocupar o primeiro lugar, e quando isso não acontece, não sabem

[1] Conforme dados da Japão em foco. Disponível em https://www.japaoemfoco.com/o-suicidio-e-a-principal-causa-de-morte-entre-os-jovens-no-japao-mostram-as-estatisticas/. Acesso em 21 de novembro de 2022.

lidar com a derrota, com as perdas da vida. Tenho um amigo missionário que esteve no Japão na época do tsunami. Ele relatou que as autoridades diziam para que os missionários não se preocupassem com dinheiro, comida ou moradia. Ele não precisava se preocupar com nada além de amparar, abraçar as pessoas que tinham perdido tudo e, devido às perdas, pensavam em tirar a própria vida, pois foram criados debaixo de uma doutrina perfeccionista. Eles não haviam aprendido que não somos perfeitos. Quando essa lição não consta em nosso currículo de vida, ao cometer um erro, ao enfrentar a primeira discussão no casamento, ao passar pela experiência do primeiro desemprego, ou encarar a reprovação em um concurso, muitos recorrem ao suicídio.

Muitos ateus, embora eu respeite a decisão deles de não crer em Deus, não praticam a fé porque tiveram problemas com seus pais terrenos. A maioria não consegue confiar em Deus porque foi abandonada pelos pais. Certa vez, ouvi de um psicólogo que, segundo algumas estatísticas, 80% dos ateus não têm um bom relacionamento com seus pais ou foram abandonados por eles, resultando na incapacidade de acreditar em Deus ou vê-lo como Pai. O abandono paterno gera ateísmo, pois aqueles que não tiveram os pais ao lado, aqueles para os quais os pais não existiram, Deus também não existe.

Dentre tantas coisas que um pai libera sobre os filhos, quero especificar e salientar três aspectos fundamentais: direção, limite e proteção. O primeiro deles é a direção. A direção é uma prorrogativa do pai. Dentro de uma casa, a direção não resulta da ação das mães, pois o poder da diretiva repousa sobre os pais. Até a forma de segurarem as crianças no colo é diferente das mães. Enquanto a mãe reclina a cabeça dos filhos em seu peito, os pais seguram os bebês posicionando os filhos virados para frente ou acima dos seus ombros. Isso não acontece por diferença de força física, mas porque é da natureza deles levantar e apontar para a frente. É responsabilidade do pai dar direção, afirmar e dar propósito para os filhos; é incumbência paterna promover a saúde e a autoestima deles.

É engraçado que uma das minhas filhas, a mais nova, frequentemente depois de se vestir e usar a maquiagem da mãe vem e diz: "Olha, pai!". Nesse exato momento, entra a minha vocação de pai de olhar para ela e dizer: "Uau! Que princesa!". É o momento perfeito para afirmar e admirar minha filha, não de ficar olhando para o jornal ou pedir que ela não incomode. Muitos pais deixam de apreciar suas filhas. Isso vai provocar uma carência emocional tão intensa que o primeiro rapaz que se aproximar dessas meninas e expressar admiração, ganhará o coração delas. A maioria das meninas que se entregam sexualmente antes dos 15 anos não tiveram pais fisicamente ou emocionalmente presentes em suas vidas. Talvez eles até estivessem presentes, mas não expressaram amor, carinho, afirmação, e a carência gerada abriu as portas para a admiração de outro.

A paternidade dá nome, identidade e destino. E quando sofremos a ausência dela, não sabemos quem somos, não conhecemos o nosso valor, a nossa vocação. Mas quando temos a nossa identidade bem firmada, não somos levados por qualquer vento ou conversa. A falta do pai gera filhos que não sabem o seu valor, pessoas que não valorizam quem são, que podem ser chamadas de "Marias que vão com as outras", com necessidade de estar no centro, na ânsia pela aprovação dos outros.

Quando um pai amaldiçoa os filhos, eles andam sob o peso dos rótulos e palavras que não saem das suas mentes, sentenças que definem e influenciam o curso da sua existência.

Não raramente, encontramos pessoas celebrando a conclusão do ensino médio aos 40 anos, a habilitação tardia, e outras conquistas que alcançaram depois do tempo, pois não foram encorajada no tempo devido; ou, ainda pior, foram desmotivadas, desacreditadas pelos pais. Na maioria das vezes, essas pessoas não relatam a falta de recursos, mas a falta de um pai.

A falta de um pai resulta na ausência de direção. Onde não há paternidade, não existe propósito de vida definido, nem profissão definida; são pessoas com mais de 30 anos que não definiram suas rotas, são errantes pela vida.

Espiritualmente, quem não tem direção, não sabe o seu chamado ou vocação. Muitos pastores não foram chamados para exercer pastoreio, mas para serem mestres e ensinar. Muitos ministros de louvor têm chamado pastoral, mas estão ministrando louvor. A falta de identidade gera disfunção. A minha esposa costuma usar uma expressão engraçada, mas verdadeira: "Nos dias de hoje, temos observado muitas vacas voando, e muitos passarinhos pastando", ou seja, as vacas deveriam estar pastando, já os passarinhos deveriam estar voando, mas a igreja sofre com a troca de funções e ministérios porque os homens e mulheres de Deus não sabem quem são; por falta de direção paterna.

O segundo aspecto que a paternidade determina na vida de um indivíduo é o limite. É o pai que dá limite, que estabelece fronteiras, dá ou nega acessos. O pai tem o poder de determinar limites, fronteiras na vida dos filhos. Limites são importantes porque educam e protegem.

Quando um pai coloca limites pelo medo, na primeira oportunidade, o filho ultrapassa os limites colocados, sofre danos terríveis. Muitas pessoas que cresceram em sistemas religiosos e farisaicos, forçados a praticarem doutrina dos homens, obrigados a ir para a igreja, fogem assim que descobrem uma oportunidade. A maioria dos filhos submetidos a sistemas religiosos e humanos sob a autoridade dos pais, fugiu de casa para se casar; ou se casou para fugir de casa. Sempre que os limites são estabelecidos pelo medo, na primeira oportunidade, a fuga acontece.

Muitos pastores que tentavam impedir seus membros de celebrar em outras comunidades de fé sentiram o efeito do avanço tecnológico desses dias, pois as pessoas podem escolher pelo *Instagram*, *YouTube* e por outras redes sociais, quem elas ouvirão. As porteiras se abriram, e quem estava preso derrubou e ultrapassou as cercas impostas pelo medo e autoritarismo religioso. O princípio da paternidade não pode ser imposto pelo medo, mas sim por uma cultura de honra; deve ser estabelecido pelo amor e ensino. Pais precisam ensinar seus filhos para que saibam fazer escolhas, não a obedecer cegamente, mas a ter sabedoria ao escolher, a pensar e saber tomar decisões assertivas. Conforme uma pesquisa de campo feita por mim, muitos presidiários, podemos dizer que cerca de 70% deles, são filhos de pais cristãos; filhos criados com limites autoritários, limites impostos pela força e não pelo amor, vítimas de um sistema religioso rigoroso, não amoroso. Limites são abençoadores quando são determinados pelo amor, não pelo medo. A maioria dos filhos de cristãos criados nesse sistema opressor, na primeira chance, mergulha na rebelião.

Indiscutivelmente, os limites são importantes e devem ser ensinados por meio do exemplo e da honra, pois são elementos norteadores na vida dos filhos. Como pais, essa é uma responsabilidade nossa. Para muitos de nós, este tema será vacina, para muitos outros, será remédio. Para aqueles que ainda não são pais, ou são pais de filhos pequenos, é uma vacina. Para aqueles que já erraram com os filhos, ou são filhos e já estão feridos é remédio. E o objetivo de Deus não é trazer condenação, e sim cura. Deus permite que muitas coisas sejam reveladas para que haja cura. Feridas escondidas geram pus e matam, mas feridas expostas, podem ser tratadas e curadas.

A falta ou a ausência de um pai maduro gera lacunas terríveis. A maioria das pessoas que ultrapassaram todos os limites e pagam um preço por isso — conheceram o mundo da libertinagem e/ou do crime, que se perderam com dinheiro, jogos, comida e tantos males vivenciados pela humanidade — foram criados sob a ausência de paternidade e de limites que deveriam ter sido estabelecidos. Os pais têm a responsabilidade de apresentar e determinar limites saudáveis aos filhos.

O terceiro aspecto de grande impacto na vida dos filhos, formando um tripé que resulta da paternidade, é a proteção, a sensação de estar protegido.

Quando falo em proteção e segurança, gosto de lembrar da reação da Vitória, minha filha mais velha, quando saíamos de carro. Sempre que nos preparávamos para sair, ela questionava quem iria dirigir. Quando ela sabia que era o pai, dormia; mas, quando era a mãe, ficava acordada. A Vivi tirou sua habilitação após os 30 anos, pois não havia sido encorajada para isso antes. Então, a Vitória cresceu me vendo dirigir, tendo confiança quando eu estava na condução do veículo. Talvez eu nem dirigisse melhor que a minha esposa, mas a nossa filha cresceu me vendo dirigir, e isso fez que ela tivesse mais confiança em mim naquela circunstância.

Também me lembro das vezes em que eu ficava em frente à minha casa, esperando pelo meu pai. Eu era pequeno, morávamos em um bairro mais distante. Meu pai tinha um Fusca verde. Sempre que ele precisava ir ao centro da cidade, eu passava o dia fazendo as peripécias próprias da minha idade; mas, quando começava o entardecer e eu percebia surgir um crepúsculo, o medo também aparecia. Eu pegava uma faquinha na mão e corria para a frente da casa, para esperar meu pai. O medo era real, mas quando eu avistava o Fusca verde chegando, corajosamente eu gritava aos invasores imaginários: "Quem está aí? Pode aparecer!". Para a minha alegria, não existia ninguém lá, era apenas a minha imaginação. Mas avistar o carro do meu pai e saber que ele estava chegando trazia uma sensação de segurança.

Qual sensação você experimentava quando seu pai chegava em casa? Muitas vezes não paramos para pensar sobre isso. Infelizmente, para alguns, a sensação era de medo e pavor, pois sabiam que, quando o pai chegasse em casa, as mães apanhariam; o pai chegaria bêbado e, provavelmente, agrediria a família. Quando os pais não geram a sensação de proteção e segurança, deixam os filhos à mercê de medos e seduções do mundo. A ausência do pai na vida dos filhos gera uma carência tão intensa que, no primeiro sinal de segurança ou esperança de pertencer, acabam se entregando.

Certa vez, em uma reportagem com o Bope do Rio de Janeiro, quando os meninos eram capturados, a primeira pergunta feita a eles era sobre onde estavam seus pais. Todos respondiam que não os conheciam, que os pais haviam sido mortos, presos ou tinham abandonado a família. Ou seja, a falta da presença do pai, além de gerar insegurança, levou aqueles meninos ao mundo do crime. A criminalidade é uma das sequelas da ausência dos pais.

Muitos buscam suprir a carência gerada pela ausência dos pais com vícios, trabalho sem limites e ativismo religioso. Muitos homens e mulheres que não tiveram a presença paterna têm uma tendência para o ativismo religioso. Buscam na religião uma forma de suprir a carência dentro de si. Outros se rebelam como uma forma de dizer: "Olha para mim!", pela ânsia de serem vistos verdadeiramente. A rebeldia, na maioria das vezes, é um clamor de filhos que desejam ser vistos, ter a atenção dos pais.

Como pais, precisamos nos lembrar do poder do exemplo, pois a paternidade tem o poder de dar limite, proteção, destino e identidade. Reforçando o que citei anteriormente, esta palavra chega para alguns como remédio; para outros, como vacina; e para todos, como cura. Existem quatro passos fundamentais para alcançarmos a cura disponível para nós.

O primeiro passo é justamente reconhecer que precisamos ser curados, reconhecer que estamos cansados, doentes e precisamos de um pai. Devemos reconhecer que a ausência da paternidade deixou sequelas terríveis. Alguns precisam reconhecer que não são bons pais; outros, que não são bons filhos. O primeiro passo para a cura é o reconhecimento.

O segundo passo é entender e perdoar nossos pais, compreendendo que eles não poderiam dar aquilo que não tinham. Quando perdoamos, somos livres. Não importa se nossos pais estão vivos ou não, quando perdoamos, somos libertos. Muitos terão que ligar, escrever, encontrar com seus pais e liberar perdão a eles. Outros terão que perdoar o pai que nunca tiveram ou conheceram. E ainda temos aqueles que terão que perdoar um pai que morreu. Mas a verdade é que o perdão libera o perdoador; pois, quando perdoamos, podemos seguir e prosseguir nossa vida. A falta de perdão trava áreas da nossa vida. É como alguém que pega uma granada, remove o pino e, jogando o pino, segura a granada na mão. Não importa quem foi, ou quais erros seus pais cometeram, libere o perdão e seja livre.

O terceiro passo para a cura é pedir perdão. Para muitos, será necessário pedir perdão aos pais, pelo modo como saíram de casa, pela desobediência em todas as esferas possíveis, pela maneira como os desonraram e ultrapassaram os limites.

O quarto e último passo para a cura, talvez o passo mais importante da nossa vida, é aceitar a adoção de Deus, do Abba Pai. Ele deseja adotar você para sempre, dar a você um propósito, impor limites e oferecer proteção. Em uma ocasião na qual Jesus ensinava os discípulos a orar, falou: "Quando vocês orarem, digam 'Pai'.". A palavra "Pai" usada por Jesus era a expressão "Abba", que significa "paizinho", representava o balbuciar de uma criança ensaiando suas primeiras palavras.

Precisamos aprender a chamar Deus de "Paizinho", pois é isso que ele espera, que corramos, descansemos nele em meio às tormentas da vida. Deus deseja que tenhamos a coragem de chamá-lo de Pai, que estejamos firmados na verdade de que ele nos adotou.

Ainda que o pai terreno tenha nos abandonado, o Senhor jamais nos abandonará. Romanos 8.15 diz que não recebemos um espírito que nos escraviza, mas o Espírito que nos adota como filhos, por meio do qual clamamos "Abba, Pai". Éramos órfãos, mas hoje somos filhos, fomos alcançados pelo amor que lança fora o medo.

Meu pastor, Luiz Hermínio, do ministério MEVAM de Itajaí (Santa Catarina), costuma dizer que filho não tem salário, mas herança. Muitos dos que estão nas igrejas se comportam como empregados, e não somos empregados de Deus, somos filhos.

A minha oração como pastor é para que o Espírito Santo convença você dessa filiação. Muitos podem pensar que não têm boas ações; mas, pela graça, podemos crer que não alcançamos esse direito de ser filho com boas ações. É por reconhecermos Jesus como filho de Deus e por recebermos o Filho que nos tornamos filhos de Deus.

Não somos mais órfãos, pois o Pai nos adotou. Com a paternidade de Deus, temos direção, limites, proteção e propósito, pois nele a nossa identidade está bem firmada.

Que o nosso coração possa ser confortado por meio da verdade de que o nosso Pai está em casa e por meio da paternidade de Deus, seremos capacitados a ser pais que representam bem o nosso Abba Pai.

"Pais exercem uma
liderança natural. Essa liderança
vai atuar para curar ou ferir,
abençoar ou amaldiçoar."

Telmo Martinello

PROTEGENDO OS MUROS BAIXOS

Quando falamos sobre muros baixos, indicamos os muros pelos quais qualquer pessoa tem acesso a um local; muros que qualquer inimigo consegue transpor. Muros baixos também se referem a fendas; a furos por onde os peixes fogem; ao ponto cego que todos têm. Todos nós temos muros baixos em nossa vida, e o fato de muitas pessoas pensarem que eles não existem já revela o muro baixo da soberba. Quem pensa que não tem muro baixo não se protege, e, por isso, a Bíblia diz que a soberba e o orgulho precedem a queda. Para muitos, a soberba é o muro baixo; para outros, as drogas, o sexo ou sexualidade; até o próprio ministério pode ser um muro baixo.

> Afasta o teu caminho da mulher adúltera, e não te aproximes da porta da sua casa; para que não entregues aos outros a tua honra, tampouco, tua própria vida a algum homem cruel e violento; para que dos teus bens não se fartem os estranhos, e outros se enriqueçam à custa do teu trabalho; e venhas a te queixar e gemer no final da vida, quando teu corpo perder o esplendor. Então, clamarás: "Como me rebelei à disciplina! Como meu coração desprezou. Não quis ouvir os meus mestres, nem dei atenção aos que me ensinavam" (Provérbios 5.8-13, *KJA*).

Quando lemos esses versos, identificamos o arrependimento gritante de alguém que cometeu muitos erros, que não soube lidar com alguns muros baixos. Percebemos a fala de alguém rebelado contra a disciplina, que não deu atenção aos mestres e mentores que lhe ensinavam.

O texto revela um muro baixo que aponta para todos os outros da nossa vida: o muro baixo da área sexual, que é a representatividade exata dos outros muros baixos com os quais lidamos.

O primeiro conselho que descubro no final desse texto e quero compartilhar é que não devemos nos rebelar quando somos disciplinados, nem quando alguém está tentando nos instruir ou corrigir, pois o Pai corrige o filho que é amado por ele. Não devemos considerar as correções pessoais ou "levar uma disciplina de Deus para o lado pessoal". O conselho no final do texto é para não sermos rebeldes diante da disciplina de um pai, para não fugirmos do conselho de um avô, não ignorarmos orientação de um pastor, pois a Bíblia nos ensina que não devemos ignorar os cabelos brancos;. No texto de Provérbios, percebemos o desespero de alguém que descobriu tarde demais que deveria ter dado ouvidos àqueles que tentavam ensiná-lo.

As correções feitas por pessoas sábias e coerentes não são pessoais ou feitas com o intuito de nos causar danos, mas para o nosso benefício. Os conselhos bíblicos são para o nosso bem, para a nossa prosperidade. Costumo dizer que a Bíblia não é um livro de regras, e sim uma carta de amor, uma carta de princípios pelos quais podemos viver com prosperidade na terra, tendo uma conduta que nos conduza ao céu.

O segundo conselho que extraímos é que não existe diferenciação de tipos de pecado, não existe diferença de um muro para o outro, apenas consequências diferentes. Dependendo do muro invadido ou ultrapassado, os acessos serão distintos, dependendo do lugar que o ladrão acessar, a consequência será diferente. Sabemos que, pela graça, na cruz do Calvário, todo pecado foi moído e, independentemente dos pecados que tivermos cometido, há perdão e restauração para nós em Cristo. Contudo, as consequências desses pecados, o resultado desses muros baixos serão reais e diferentes, proporcionais ao tipo de muro invadido.

Quando usamos uma "mentirinha" para sair de casa sem que os nossos filhos vejam, assaltamos um banco ou matamos alguém, estamos pecando da mesma forma. Aquele que mentiu é tão pecador quanto aquele que cometeu assassinato; apenas as consequências dos pecados serão diferentes. Gosto de salientar isso para estabelecer um patamar de igualdade, pois tanto aquele que deixou seu muro ser todo destruído, quanto o que está com seu muro em pé, com algumas rachaduras estão na mesma condição: igualmente pecadores, apenas lidam com consequências diferentes.

Podemos dizer que, para alguns pecados, o pagamento acontece em dólar ou euro. Para outros, a moeda é o real, mas todos têm preço e consequência. O adultério é um dos pecados cujo pagamento é feito com as moedas mais caras, pecados pelos quais a conta vem em euro ou dólar, pois o saque é violento.

O texto de Provérbios 5 traz um alerta enfático: não entre na casa da mulher adúltera. Precisamos dar a atenção devida a esse texto, ao conselho do sábio, pois é um alerta claro sobre um lugar no qual não devemos entrar.

Algumas atitudes são fundamentais para nos manter longe dessa casa, desse lugar de consequências tão graves, desse muro baixo do pecado do adultério, pois, ainda que muitos pensem que as consequências não existam, elas existem e são catastróficas.

A primeira atitude para não sermos vencidos pelo muro baixo do adultério é não nos aproximarmos da porta da casa da mulher adúltera. Portas falam de acessos. Jesus afirmou ser ele a porta pela qual todos que entrassem teriam descanso. Percebemos que portas falam de acessos, de entradas e, quando a Bíblia diz que não devemos estar próximos à porta da mulher adúltera, a orientação é para não estejamos perto demais do que nos dá acesso ao nosso muro baixo, ao pecado do adultério ou a qualquer pecado que nos rodeia.

A advertência para nos mantermos longe dessa porta nos ensina sobre a importância de não nos aproximarmos do que nos dá acesso aos lugares que sabemos que não podemos estar. Devemos refletir e discernir quais portas dão acesso às fraquezas que nos rodeiam e podem nos fazer pecar.

O que nos leva a pecar? Qual chave que, ao ser virada, nos trava? Qual frase que nos tira dos trilhos? Qual amizade ou relacionamento nos conduz ao inferno, um inferno que não é o fogo eterno, mas que representa uma vida que não desejamos viver? Quais portas nos lançam para as consequências de Provérbios 5 que não queremos vivenciar? Devemos refletir, identificar e correr para longe dessas portas.

O evangelho é renúncia, e é necessário estar ciente de que devemos nos afastar de muitas portas que antes nos levavam à perdição. Precisamos saber quais são os nossos muros baixos e nos afastar deles. Se a dívida é muro baixo, não troque de carro, de celular, não faça investimentos que não são possíveis à sua condição financeira no momento. Não precisamos nos endividar para impressionar a sociedade, pois não temos uma sociedade para impressionar, e sim uma família para cuidar.

A importância de manter distância segura da porta da mulher adúltera é porque o oposto disso levará à queda e trará consequências. A primeira consequência é entregar a nossa honra aos outros. Se existe algo fundamental na vida do homem é sua honra. Um homem sem honra é apenas um menino. Honra não é dinheiro nem sobrenome. Honra é nome. Provérbios diz que é melhor ter nome do que qualquer outra coisa, pois sobrenome herdamos, nome construímos.

Qual honra perdemos ou corremos o risco de perder? Muitos homens, ao entrar pela porta da casa da mulher adúltera, perderam a honra de ser chamados de pai por seus filhos e hoje lidam com a dor de escutar os filhos chamando outros homens de pai. Outros perderam o nascimento dos filhos, os primeiros passos deles, apresentações na escola, momentos únicos na vida dos filhos e da família por estar na boca de fumo, presos no ativismo profissional ou, até mesmo, no ativismo religioso, entre outros exemplos de honra perdida. Na minha perspectiva, poucas coisas são mais honrosas que ouvir os nossos filhos nos chamando de pai e, aconselhando alguns homens, ouço muitos relatos sobre como é doloroso perder a honra de ser chamado de pai. Existem algumas portas que, ao entrarmos por elas, perdemos a honra, o respeito, a admiração e até a própria vida, conduzem à morte espiritual, relacional, emocional e, inclusive, à morte física.

Não podemos desprezar essa repreensão que, para nós, é um alerta. Todo aquele que entra pela porta do adultério, da pornografia ou da perversão sexual sofre danos e perdas.

Perde a força para vencer, a vontade de viver, perde o espírito de competitividade, a força espiritual, ora e não consegue mais acesso. Nada disso acontece por eles serem endemoninhados ou não prestam, pois são homens de Deus, mas entraram em portas erradas. A boa notícia é que há uma graça disponível aos que entraram pelas portas erradas. A solução é voltar e sair pela mesma porta que nunca deveriam ter entrado. É possível sair, pois Deus nos oferece graça e força para isso; podemos tudo naquele que nos fortalece e temos milhares de testemunhos para crermos que é possível.

O texto menciona que os bens serão usufruídos por outro, ou seja, perde aquilo que conquistou. Muitos homens relatam que viveram partilhas de bens no divórcio, que entraram em competição familiar, perderam empresas, enfrentaram falta de produtividade ou falência, perderam o emprego; enfim, consequências incontáveis porque alguém entrou pela porta errada.

Na continuidade do texto, vemos que a outra consequência lamentável é a perda da saúde. Na época em que estive separado da Vivi durante quatro meses, no ano de 2002, dividimos os bens, vendemos as coisas, fizemos as partilhas necessárias. Hoje peso em torno de 95 quilos e, naquele período, cheguei a pesar entre 65, 70 quilos. Lembro que meu comandante no quartel falou: "O que você tem? Você era tão dinâmico!". Eu não sabia, não compreendia o tamanho da perda que estava sofrendo. Era "só" o meu casamento, mas, ao perder o meu casamento, perdi tudo. Todas as coisas foram afetadas, tudo foi embora, pois eu perdi a saúde, a fome, a ânsia de viver, a vontade de trabalhar, a capacidade de acordar cedo. E ainda que muitos pensem que existem várias mulheres, Deus estabeleceu algo espiritual no casamento. Quando quebramos espiritualmente, não se trata só de um casamento, de uma única mulher, mas de um princípio do Reino de Deus. Sempre que um princípio do Reino é quebrado, sofremos as consequências.

Para a glória de Deus, quatro meses depois, o meu casamento foi restaurado. Deus me uniu de novo a Vivi, mas isso serviu como lição para sabermos que existem algumas portas pelas quais não devemos entrar. Uma das que eu nunca deveria ter entrado é a porta do ativismo religioso. Recém-convertido, eu estava de segunda a segunda, sete dias por semana, na igreja. Enquanto isso, meu casamento desmoronava. Ninguém me aconselhou ou orientou sobre o risco do "muito fazer", das consequências trágicas do ativismo religioso. Assim como meu casamento foi para o buraco, muitos homens perderam coisas maravilhosas por estarem enterrados, sobrecarregados nas atividades de uma igreja. O reconhecimento que algumas atividades na igreja proporcionam gera prazer e aumenta a autoestima. É possível comparar o ativismo religioso à dependência química. É viciante receber aplausos pelo que se faz. É sedutor estar na plataforma com microfone. A igreja se torna um lugar de embriaguez emocional, na qual a substância em si não está presente, mas a dependência está. Precisamos ser sóbrios, manter os nossos pés no chão, e a nossa vida aos pés da cruz.

Existem alguns conselhos importantes para vencermos os muros baixos da nossa vida. Deus nunca vem apenas para diagnosticar, o Espírito Santo nunca vem apenas com um laudo de morte, mas também traz um caminho de vida.

O primeiro conselho é desenvolver o hábito da prestação de contas. Não devemos andar sozinhos, pois não somos heróis.

Precisamos ter alguém maduro, um homem de confiança para quem possamos abrir o nosso coração, pois aquele que não confessa o pecado, dificilmente confessará a tentação.

O segundo conselho é ter a mesma senha que a nossa esposa em tudo. Quando entendermos que isso não é possível, é sinal de que há necessidade de sair, voltar de portas e acessos pelos quais nunca deveríamos ter entrado.

O terceiro conselho é ler a Bíblia, a Palavra de Deus, e mantê-la em nosso coração.

> Guardei no coração a tua palavra para não pecar contra ti (Salmos 119.11).

Não guardamos a Palavra de Deus para discutir teologia, guardamos a Palavra para não pecar contra Deus.

O quarto conselho é tratar o pecado como Deus o trata: se o pecado nos afasta de Deus, não devemos desejar ou permitir que ele esteja perto de nós.

O quinto conselho é, se for necessário fugir, devemos fazê-lo. Não podemos ser tolos, não devemos pensar que é possível baixar a guarda porque vencemos muros baixos com facilidade. Não! Fugir não é covardia. Em muitos momentos, é sabedoria. Ao ver que a mulher de Potifar se despiu diante dos seus olhos. José foi sábio. Ele não ficou orando ou repreendendo, correu, saiu da presença dela imediatamente.

Devemos investir no nosso crescimento, ler livros de homens que venceram em áreas plausíveis e tiveram sucesso na família. É comprovado que a maior realização humana é a constituição familiar. Ouço essa informação há vinte anos em meu gabinete pastoral.

É importante disciplinar os nossos olhos, tomar cuidado com aquilo que vemos. Não devemos fazer nada em segredo, pois não existe nada em segredo que não venha à luz. Cedo ou tarde, tudo será descoberto.

Não devemos condenar aqueles que caem, pois quem pensa estar em pé deve cuidar para não cair. Precisamos evitar ambientes que nos aproximam de portas pelas quais não devemos entrar. Lembremos sempre que os nossos olhos e ouvidos são os acessos da nossa mente.

O último conselho é andar com o Espírito Santo. Salmos 51 relata a realidade de um homem que não apenas cometeu adultério, mas também matou o marido da mulher com a qual ele se deitou.

Davi se rebelou, pecou, foi corrigido por um profeta. No texto de Salmos 51, ele reconhece que não existia nele um coração puro, por isso clamou: "Cria em mim, renova em mim um espírito reto, não me lance fora da sua presença" (cf. v. 10).

Andar com o Espírito Santo é o conselho de maior importância, pois ele nos convence, mostra as portas erradas e os perigos; ele nos faz recuar ou avançar, revela o amor, os planos e a verdade de Deus para nós. Tudo é fruto do convencimento do Espírito.

Que possamos andar com o Espírito Santo, reconhecer que não deveríamos ter entrado por algumas portas e que precisamos que seja criado em nós um coração puro. Oro para que aquilo que traz esperança alcance os homens que leem estas páginas, para serem confrontados, consolados, edificados e alinhados.

As portas vão continuar aparecendo. Não é possível queimá-las; mas, se andarmos com o Espírito Santo, ele sinalizará quais são as portas do Pai e quais são do Inimigo para nos destruir. Quando andamos com o Espírito, não satisfazemos a vontade da carne.

Quero abençoar e profetizar o resgate de cada um que está sofrendo as consequências por um dia ter entrado por portas que não deveria. O Senhor pode nos resgatar, nos trazer de volta e abrir portas certas para que a nossa vida seja restaurada. Deus tem um caminho de volta, nossos filhos não precisarão passar pelos mesmos lugares que passamos, ainda existe um lugar à mesa para nós.

“Se existe algo fundamental
na vida do homem é a sua honra,
pois um homem sem honra
não é homem, é menino.”

Telmo Martinello

QUANDO A FATURA CHEGA

A Bíblia relata que, na primavera, época em que os reis saíam para a guerra, Davi enviou Joabe, seus oficiais e todo o exército de Israel para a batalha, mas permaneceu em Jerusalém. Em uma tarde, Davi se levantou da cama e foi passear pelo terraço do palácio. Ao avistar uma linda mulher tomando banho, quis saber quem ela era, mandou que a trouxessem até ele e se deitou com ela.

A mulher com quem o rei se deitou, era a esposa de um dos seus melhores homens de guerra, Urias. Como todo pecado, o ato ilícito de Davi com Bate-Seba teve consequências, e a primeira delas foi Bate-Seba engravidar do rei. Ao saber da notícia, Davi tentou arquitetar um plano para encobrir o pecado. Mandou que trouxessem Urias para que ele dormisse com sua mulher e todos pensassem que a criança era dele e não de Davi. Mas Urias, um guerreiro leal e dedicado, não querendo ser injusto com os companheiros de guerra, recusou ir para casa e dormir com a sua esposa. Após duas tentativas, Davi enviou a sentença de morte: uma carta a Joabe por meio de Urias, e nela estava escrito: "Coloque Urias na linha de frente de combate e abandone-o numa posição onde o combate estiver mais acirrado, para que ele seja morto!" (2Samuel 11.15).

Sabemos que a conta ou a fatura de todos os atos de Davi, embora ele não tenha enfrentado consequências imediatas, chegaram.

Urias morreu, e, passado o luto, Davi mandou que trouxessem a viúva para o palácio, tomando-a como sua mulher. O ato do rei desagradou ao Senhor e as consequências foram trágicas.

> Depois que Natã foi para casa, o Senhor fez adoecer o filho que a mulher de Urias dera a Davi. E Davi implorou a Deus em favor da criança. Ele jejuou e, entrando em casa, passou a noite deitado no chão. Os oficiais do palácio tentaram fazê-lo levantar-se do chão, mas ele não quis, e recusou comer. Sete dias depois a criança morreu. Os conselheiros de Davi estavam com medo de dizer-lhe que a criança estava morta, e comentavam: "Enquanto a criança ainda estava viva, falamos com ele, e ele não quis escutar-nos. Como vamos dizer-lhe que a criança morreu? Ele poderá cometer alguma loucura!" Davi, percebendo que seus conselheiros cochichavam entre si, compreendeu que a criança estava morta e perguntou: "A criança morreu?" "Sim, morreu", responderam eles. Então Davi levantou-se do chão, lavou-se, perfumou-se e trocou de roupa. Depois entrou no santuário do Senhor e adorou. E voltando ao palácio, pediu que lhe preparassem uma refeição e comeu. Seus conselheiros lhe perguntaram: "Por que ages assim? Enquanto a criança estava viva, jejuaste e choraste; mas, agora que a criança está morta, te levantas e comes!" Ele respondeu: "Enquanto a criança ainda estava viva, jejuei e chorei. Eu pensava: 'Quem sabe? Talvez o Senhor tenha misericórdia de mim e deixe a criança viver'. Mas agora que ela morreu, por que deveria jejuar? Poderia eu trazê-la de volta à vida? Eu irei até ela, mas ela não voltará para mim" (2Samuel 12.15-23).

O "depois" que inicia o versos mencionados aponta o fechamento da conta do rei. Depois que Natã fez que Davi tivesse consciência do seu erro, a criança adoeceu. O próprio Senhor fez a criança adoecer, e morrer alguns dias depois. A fatura estava chegando para Davi.

Não tenho a pretensão de ser ou me comparar ao profeta Natã, mas quero ser um instrumento de Deus para abençoar a sua vida e aprendermos juntos meditando em 2Samuel 12.

Davi adulterou, e a criança que morreu era fruto do seu adultério. Mesmo possuindo várias mulheres, desejou e se relacionou com a mulher de outro, de um homem que estava guerreando pela coroa do rei.

> Então Natã disse a Davi: "Você é o homem rico da história! Assim diz o Senhor, o Deus de Israel: 'Eu o ungi rei de Israel e o livrei das mãos de Saul. O palácio dele agora é seu; as mulheres dele agora são suas; também dei a você os reinos de Judá e de Israel. E se isso não bastasse, eu lhe daria muito mais. Por que, então, você não respeitou a palavra do Senhor e praticou uma coisa tão horrível? Você matou Urias, o heteu, com a espada dos amonitas e ainda roubou a mulher dele! Por isso, daqui em diante, a espada estará sempre sobre a sua família, pois você me desprezou ao tomar a esposa do heteu Urias'." (2Samuel 12.7-10, NBV-P)

Como vimos no texto, Natã traz um recado de Deus, uma advertência severa, não por ser mau, mas por ser chamado para representar o Senhor.

Não podemos permitir que a correção seja maculada. Estão tentando tirar a correção do amor, o que dilui o amor. A Bíblia fala que Deus ama e corrige porque ama; logo, o princípio da correção é o amor, e devemos entender que a correção é bênção.

Mesmo tendo sido ungido para reinar em Israel, Davi cometeu um adultério seguido de um assassinato. A Bíblia deixa claro que ele era um homem segundo o coração de Deus. Esse fato, porém, não o livrou de cometer pecados nem de arcar com as consequências de suas más escolhas. Depois de exortado, Davi se arrependeu e obteve o perdão do Senhor. Como homens de Deus, precisamos entender que, mesmo se jejuarmos 200 dias, orarmos mais de dez horas diariamente, subirmos o monte todas as noites, conhecermos a Bíblia de Gênesis a Apocalipse, estaremos sujeitos a cair. Por essa razão, não podemos julgar ou apontar o dedo para quem caiu, pois Davi, o escolhido de Deus, tropeçou e caiu, como também estamos sujeitos à queda.

Não podemos pregar um evangelho da Marvel, um evangelho dos quadrinhos ou de super-heróis. Precisamos crer e proclamar o evangelho real. Na vida e no evangelho real, homens de Deus caem. Então, se eu ou você caímos, não somos melhores ou piores por isso, somos apenas humanos. Se você caiu, precisa crer na graça. Assim como Davi se levantou após a queda, você também pode se levantar.

O pecado distancia de Deus. A graça pode trazer você de volta. Não importa a proporção da queda ou para quão longe você foi. Davi adulterou e cometeu assassinato. Quando olhamos para a vida dele, percebemos que a graça é suficiente para nos resgatar e nos restaurar de qualquer abismo. Existe graça o bastante para restaurar a sua vida, para trazer você de volta ao lugar de onde jamais deveria ter saído.

A segunda coisa que precisamos entender em 2Samuel 12 é que Davi estava cego e leproso. Quando ele ouviu sobre o procedimento do homem que Natã levou até ele, imediatamente julgou que aquele homem deveria ser morto. Ele estava tão cego que não percebeu julgar no outro aquilo que ele fizera, condenando sua própria atitude. Davi não percebeu porque estava cego e leproso para si mesmo. E o que é a lepra? É a doença da insensibilidade. No Antigo Testamento, a lepra não era considerada apenas uma doença, mas também uma maldição na vida de quem usava a língua para amaldiçoar outra pessoa, pois, ao falar mal de alguém, ficava leproso.

Isso é muito sério. Quando falamos do próximo, tropeçamos em todas as palavras, e o julgamento se torna lepra para nós. Pare e reflita sobre coisas ou situações nas quais você julgou alguém e, mais tarde, tropeçou pelo mesmo motivo. Davi estava leproso, tão insensível e cego que determinou um veredito para ele mesmo. Devemos ser cautelosos, ter cuidado com o dedo acusador, pois Isaías 58 relata que o verdadeiro jejum não é vestir pano de saco, ficar inclinado como junco, mas ajudar o órfão, o perdido, e recolher o dedo acusador. Ao recolher o dedo acusador, o Sol da Justiça brilha sobre a nossa vida.

A decisão está sempre em nossas mãos. Somos nós que escolhemos celebrar as virtudes de alguém ou publicar os defeitos das pessoas. Quando estamos em uma roda de conversa, essa decisão será determinante. Sempre que decidimos publicar os defeitos em vez de celebrar as virtudes de alguém, usamos a nossa língua para maldizer e saímos leprosos da conversa, insensíveis a nossos próprios erros. Precisamos de mais cuidado quando decidimos julgar as pessoas, porque naquilo que julgamos, podemos tropeçar. Davi não viu seu erro, mas conseguiu enxergar no outro o erro que ele mesmo cometia.

Por amor a Davi, Deus enviou Natã. Ele sempre envia um profeta quando não conseguimos mais ouvir, enxergar ou reconhecer nossos próprios erros, quando a lepra nos deixa insensíveis.

Quando estamos como Davi, leprosos e insensíveis acerca das nossas próprias faltas, precisamos de pessoas como o profeta Natã para nos corrigir, falar sobre nossos erros e apontar nosso pecado ou falha com Deus e com o próximo. É preferível ter Natã ao nosso lado que andar com Judas, com fariseus que nos chamam de "bons mestres", não nos corrigem quando erramos, mas expõem e publicam nossas falhas depois. Todos os dias, devemos decidir se vamos celebrar as virtudes ou publicar os defeitos das pessoas, tendo consciência de que isso tem um impacto enorme na nossa caminhada.

A fatura chegou para Davi, e vamos refletir sobre a postura dele. Antes, porém, vamos pensar sobre o que fazemos quando a fatura chega para nós. Plantamos e começamos a colher. Nessa colheita, muitos veem a esposa abandonar o lar, os filhos não querem mais ouvir ou honrar o pai, muitas coisas se perdem.

Davi nos ensina lições maravilhosas sobre qual postura devemos ter quando a fatura chega. O ambiente era de velório, a fatura havia chegado, a criança havia adoecido, e a primeira atitude de Davi foi buscar a Deus pela criança. Não por ele, mas pela criança.

Davi buscou a Deus para que o menino não morresse. Não buscou por ele, nem pelo reino, mas pela criança. Ele não estava preocupado com coisas, com a coroa, mas com a criança doente. Quando a fatura chega, essa é atitude de um homem. Meninos correm, homens assumem a responsabilidade e agem para reparar seus erros. Meninos brincam em velório, homens não. Homens discernem o ambiente.

Davi buscou a Deus pela criança. O problema da maioria de nós é que, quando a fatura chega, nossa preocupação não é a criança à beira da morte, mas a nossa coroa, a nossa reputação, nossos títulos e coisas com as quais não deveríamos nos preocupar. Infelizmente, muitos casamentos acabam, filhos ficam nas mãos de más influências, mas tudo que pensamos é em um chamado, um ministério ou qualquer outra ambição que tira nossos olhos daquilo que é mais importante no momento.

Davi não se preocupou com o que pensariam dele, mas decidiu buscar ao Senhor pela criança. Ele então se levantou para pagar a fatura do cartão que ele mesmo havia usado. Apesar de todos os erros, insensibilidade, crime e adultério, Davi buscou a Deus pela criança. Ele teve um coração compassivo, entendeu e reconheceu que deveria pagar pelo erro e foi para Deus com a esperança de que a criança não sofresse as consequências dos pecados cometidos.

Talvez, muitos que leem estas páginas, ao terminar este capítulo, terão que pedir perdão aos filhos, pois sempre tiveram tempo para muitas coisas, menos para estar com eles. Precisamos estar dispostos a colocar nosso rosto no chão e buscar a Deus por eles pois, de alguma forma, é possível que estejam perdidos, enfermos ou em guerras pela nossa ausência, opressão ou pecado.

Muitos precisam parar, observar e reconhecer situações que são faturas, consequências com as quais terão que lidar. Um homem de Deus não tem vergonha de se colocar de joelhos.

Qual foi a última vez que ajoelhamos em favor dos nossos filhos ou pelo nosso casamento? Quando foi a última vez que corremos para Deus, nos humilhamos, reconhecemos que algo estava doente, morrendo, e suplicamos pela misericórdia de Deus para a morte não chegar ou algo não se perder?

Deus sempre ouve as palavras de um homem que dobra os seus joelhos. Ao ajoelhar, expressamos que dependemos totalmente dele. Enquanto existia possibilidade, Davi não saiu do chão. Da mesma forma, enquanto tem jeito, precisamos permanecer de joelhos, pois Deus continua ouvindo a oração daqueles cujos joelhos se dobram.

Para Davi, após sete dias, a notícia cabal, a alta fatura chega até ele. Ele percebeu que as pessoas cochichavam. E em meio ao caos, ele permaneceu atento, não perdeu a sobriedade, compreendeu e fez a leitura correta da situação. Ao confirmar a morte da criança, ele se levantou, e isso nos fala sobre maturidade. Ao verificar que não existia nada que pudesse ser feito para reverter a situação, saiu do chão, deixou o lugar de lamento e humilhação e foi se lavar. Não adianta remoer a nossa sujeira, devemos nos lavar no sangue de Jesus e parar de olhar para a sujeira dos nossos pecados. Todo pecado pode ser coberto pelo sangue, pela graça e pelo sacrifício de Jesus.

Além de lavar-se, Davi ungiu-se. Ele sabia quem era, ele era o rei e se ungiu como tal. O ato de ungir-se revela que voltou a seu posto, tornou ao lugar que era seu: o trono de Israel. A postura de Davi nos ensina sobre a necessidade de assumir nossa posição, de ocupar nosso lugar em Deus e, para isso, precisamos ter o passado resolvido e o presente assumido. Muitos deixam de ocupar sua posição e seu chamado em Deus esperando por púlpitos, mas devemos nos lembrar daquilo que Lutero já dizia: "O mundo é a minha paróquia!". Qual é a posição, o propósito para o qual Deus nos chamou? Devemos responder ao chamado que começa em nossa casa, pois aquele que não cuida da própria casa não pode cuidar da igreja.

Outra atitude de Davi foi mudar suas vestes. Vestes falam de atos de justiça, ou seja, de ações, postura e atitudes. Ao trocá-las, afirmou ser um novo homem, porque não existe transformação genuína sem mudança de comportamento. A maturidade é seguida de mudança de atitude. Davi adorou ao Senhor, pois uma pessoa madura não adora ao Senhor apenas quando ele age conforme o pedido, mas, independentemente dos feitos ou bênçãos, adora a Deus. Mesmo com a fatura nas mãos, segurando a certidão de óbito, ele adorou.

Muitos de nós precisando decidir e tirar alguns dias da semana para jejuar, orar e buscar a Deus mais intencionalmente. Muitas vezes nossa maior necessidade é ouvi-lo, é receber uma direção do céu, pois "nem só de pão viverá o homem, mas de toda palavra que procede de Deus" (cf. Mateus 4.4).

Muitas mudanças dependem de um posicionamento nosso, de priorizarmos a Deus e a sua Palavra, de jejuarmos como uma expressão de dependência dele. Para que nossos músculos sejam fortalecidos, não adianta outra pessoa fazer musculação. Nós somos os responsáveis por alcançar a nossa robustez espiritual. Todos os dias, devemos ter uma postura consciente, saber que a fatura chega e que as consequências não podem ser evitadas. Que possamos compreender que meninos brincam em velórios, homens não.

O melhor caminho é evitar a fatura. Se, porventura, a fatura chegar, que possamos ter sabedoria e maturidade para lidar com ela. Que nossos joelhos se dobrem para que não seja o fim. Se o final irreversível chegou, eu oro para que você se levante, adore ao Senhor e prossiga para o alvo, pois ainda há muitas coisas para vivermos em Deus.

> Davi nos ensina sobre a necessidade de assumirmos nossa posição, de ocuparmos nosso lugar em Deus e, para isso, precisamos ter o passado resolvido e o presente assumido.

TELMO MARTINELLO

SABEDORIA PARA GOVERNAR

O governo, além de todas as exigências devidas ao que governa, exige sabedoria para governar.

> Pede-me, e te darei as nações como herança e os confins da terra como tua propriedade (Salmos 2.8).

> Disse-lhe o Senhor: "Duas nações estão em seu ventre, já desde as suas entranhas dois povos se separarão; um deles será mais forte que o outro, mas o mais velho servirá ao mais novo" (Gênesis 25.23).

> Os filhos são herança do Senhor, uma recompensa que ele dá (Salmos 127.3).

Sempre ouvi os versículos mencionados em conferências sobre missões. É comum ouvirmos pastores falando que podemos pedir a Deus uma nação; pois, quando pedimos, podemos receber uma para exercer um serviço missionário. Outros pregadores entendem que o primeiro texto aponta profeticamente para Jesus, pois, para ele, seriam dadas todas as nações por herança. Então, percebemos que existe uma infinidade de aplicações e interpretações dos textos citados.

Particularmente, quando leio Gênesis 25, minha compreensão ganha um sentido diferente. O texto de Gênesis diz que existiam duas nações no ventre de Rebeca. Não diz que existiam duas bandeiras ou dois países, mas dois filhos, duas pessoas. Isso muda toda a nossa interpretação de Salmos 2. Quando Deus falou a Rebeca que em seu ventre existiam duas nações, e os Salmos 127 diz que os filhos são herança, compreendemos que filhos são nações, ou seja, quando Deus nos dá um filho, ele está nos dando uma nação.

É comum muitos pedirem ao Senhor para serem enviados à nações, pois desejam ser usados por Deus em outros países. Mas o Senhor deseja que muitos compreendam que uma nação já foi confiada a nós, nossos filhos e filhas são nações para cuidarmos.

Existe uma cultura no meio cristão que define missões como algo que acontece fora do nosso país de origem. Muitos querem ir para esses lugares, mas não cultivam o hábito de falar com os próprios vizinhos. Querem ir aos presídios, pregar em lugares marginalizados, mas, no elevador, não conseguem ao menos desejar bom dia às pessoas. Desejam pregar para multidões e às vezes estão há dois anos sem falar com algum parente. Temos a tendência de almejar coisas grandes, esquecendo a grandeza que existe nas pequenas. Deus não se impressiona com o tamanho, mas com a intensidade e o valor que atribuímos a elas.

A Bíblia relata em uma parábola que uma mulher tinha 10 dracmas e perdeu uma. Ela, então, deixou as 9 para procurar pela que havia se perdido. A atitude dela demonstrou que, apesar de amar as nove, ela desejou recuperar a que havia se perdido; ela valorizou a dracma perdida, e encontramos tudo que valorizamos. Precisamos compreender esse princípio, pois tudo que valorizamos, nós encontramos; tudo que valorizamos e prospera. Enquanto não valorizarmos as nações que estão em nossa casa, não receberemos outra.

Precisamos de sabedoria e graça para governar as nações que Deus nos confiou. Toda pergunta que o Senhor faz já tem uma resposta, mas as respostas são para nós e não para ele, pois ele é onisciente. Todas as perguntas bíblicas geram reflexão e compreensão. Quando Deus nos questiona algo, o objetivo é nos fazer que possamos pensar e compreender a resposta. Foi assim com Adão quando Deus perguntou onde ele estava. Deus não questionou por não saber onde Adão estava, mas para gerar em Adão a compreensão do seu distanciamento de Deus.

Certa vez, Jesus perguntou aos discípulos o que as pessoas diziam sobre quem ele era. Pedro rapidamente compartilhou a opinião da multidão, mas Jesus queria saber era quem ele era para os discípulos, para aqueles que comiam o pão que ele multiplicava, que andavam com ele e o viam curando cegos e todo tipo de doentes. Ao questionar os discípulos, ele lhes dava a oportunidade de compreender o nível de intimidade em que estavam com o Mestre. Sua pergunta aos discípulos nos ajuda a perceber a importância de discernir quem Deus é para nós, pois o nível de revelação que temos de Deus determina nosso nível de relacionamento com ele.

Quem Deus é para nós? Se, para nós, Deus é distante, nos relacionamos com distanciamento. Se, porém, ele é um Pai, nos relacionamos como filhos amados. A maneira como nos relacionamos com Deus é fruto da visão que temos acerca dele.

As perguntas de Deus são sempre assertivas. O texto seguinte relata uma pergunta que muitos gostariam de ouvir do Senhor. Embora Deus não tenha estabelecido parâmetro para o pedido, a resposta de Salomão nos ensina muito:

> Em Gibeom o Senhor apareceu a Salomão num sonho, à noite, e lhe disse: "Peça-me o que quiser, e eu lhe darei" Salomão respondeu: "Tu foste muito bondoso para com o teu servo, o meu pai Davi, pois ele foi fiel a ti, e foi justo e reto de coração. Tu sustentaste grande bondade para com ele e lhe deste um filho que hoje se assenta no seu trono. "Agora, Senhor meu Deus, fizeste o teu servo reinar em lugar de meu pai Davi. Mas eu não passo de um jovem e não sei o que fazer. Teu servo está aqui entre o povo que escolheste, um povo tão grande que nem se pode contar. Dá, pois, ao teu servo um coração cheio de discernimento para governar o teu povo e capaz de distinguir entre o bem e o mal. Pois, quem pode governar este teu grande povo?" O pedido que Salomão fez agradou ao Senhor (1Reis 3.5-10).

Depois de mencionar toda bondade de Deus com seu pai, Salomão reconhece a sua condição e expressa sua preocupação em relação à sua juventude e inexperiência. Mesmo jovem, Salomão sabia que fora escolhido para governar o povo, mas também que precisava de sabedoria para distinguir entre o bem e o mal. Ele tinha consciência do desafio que era governar toda a nação; por isso, pediu algo que agradou o coração de Deus, a sabedoria. Ele poderia ter pedido qualquer coisa, como vida longa, bens, riquezas, morte dos inimigos, e muitas outras coisas, mas pediu por sabedoria.

Deus ficou tão feliz com o pedido de Salomão que decidiu dar-lhe não somente um coração sábio e capaz de discernir e governar, mas também que ele não pediu: riquezas e fama. Deus garantiu que não haveria rei igual a ele durante toda a sua vida.

Quando Deus pergunta o que desejamos que ele nos faça, sua intenção é extrair o que está em nosso interior. Será que, se o Senhor nos oferecesse a chance de pedir algo, pediríamos sabedoria para governar a nossa casa, para ser bons maridos ou bons pais para os nossos filhos? A resposta é reveladora, pois denuncia onde está o nosso coração, mostra se valorizamos a herança que ele nos confiou ou se o nosso coração está nas coisas terrenas e passageiras.

Sempre que Deus nos mostra onde estamos, seu objetivo não é nos castigar ou nos mandar para o inferno, mas nos dar a oportunidade de corrigir o curso da nossa vida. Foi assim com o jovem rico quando Jesus disse para que ele vendesse tudo para dar aos pobres. Não foi para todo rico que Jesus falou aquilo. Para aquele jovem rico, o dinheiro era um deus; então, precisava ser removido, renunciado. Tudo que for um deus entre nós e o Senhor, ele removerá da nossa vida, pois é zeloso e ciumento, não nos dividirá com mais ninguém.

Ele nos confia muitas coisas valiosas, mas deve continuar sendo nosso bem maior, tendo a primazia do nosso coração. Deus deseja ser o nosso único Deus. Tudo que ele nos dá, na verdade, está sendo confiado a nós, ele não nos deu riquezas, filhos ou esposa, mas nos confiou cada um deles. Deus não nos deu uma empresa ou ministério, ele nos confiou essas coisas, pois tudo é dele e para ele.

Salomão desejava governar bem aquilo que Deus confiou em suas mãos. Seu desejo e pedido agradaram o coração do Senhor. Deus busca homens que tenham o compromisso de cuidar bem daquilo que confiou a eles nesta terra.

Somos responsáveis pela nação que o Senhor nos deu. No ano de 2002, na ânsia de crescer ministerialmente, vivendo sete dias por semana na igreja, devorando a Bíblia, perdi meu casamento, tudo porque não cuidei devidamente da nação confiada a mim. Pela bondade de Deus, ele mesmo me tirou tudo. Foi assim que percebi e decidi que meu maior desejo era cuidar e amar a família que ele havia me confiado. Desde então, as metas anuais comuns na virada dos anos, foram trocadas por três pedidos: "Senhor, me ajuda a ser um bom esposo, um bom pai para as minhas filhas, e um cristão que seja luz no mundo e sal na terra". O engraçado é que, desse momento até os dias atuais, tudo que eu parei de pedir ou buscar, ele tem acrescentado à minha vida.

Salomão começou a discursar honrando seu pai, Davi. Apesar de todos os erros e tropeços de Davi, Salomão mencionou coisas que fizeram do seu pai um bom homem. Salomão não desonrou a Davi, pois um homem sábio nunca desonra seus pais. A sabedoria nos faz reconciliar com os nossos pais, honrando-os pela consciência da necessidade de obedecermos a um mandamento.

Um homem de honra não valoriza apenas quem está acima dele, mas sabe destilar honra aos que talvez estejam em uma posição hierarquicamente inferior. Um homem sábio honra o pastor, mas também honra quem está no estacionamento cuidando dos carros; elogia o dono do restaurante, mas também o garçom, pois não honra apenas quem pode dar-lhe, mas todos os que estão ao seu redor.

Em seu discurso, Salomão salienta que seu pai amava a Deus. Apesar dos erros de Davi, ele era um homem que amava ao Senhor, e seu filho decidiu destacar essa virtude. Quais são as boas qualidades dos nossos pais? Precisamos exaltar as qualidades e cobrir os defeitos deles, pois todos os pais erram, inclusive nós, no exercício da nossa paternidade.

Salomão compreendia que governava um povo que pertencia a Deus, e é isso que precisamos entender; aquilo que ele nos confiou é dele, não nosso. Somos apenas mordomos. Devemos refletir sobre como temos administrado e governado aquilo que é do Senhor, mas está em nossas mãos para ser cuidado. A oração mais urgente e profunda que podemos fazer hoje é pedir sabedoria para cuidar daquilo que nos foi confiado.

Deus nos confiou nações por herança. Assim como Salomão, precisamos pedir sabedoria para governarmos sobre elas, para honrar a Deus com a nossa vida, para ser bons mordomos sobre os recursos que nos foram confiados.

> Na mão direita, a sabedoria lhe garante vida longa; na mão esquerda, riquezas e honra (Provérbios 3.16).

A sabedoria não apenas honra a Deus, mas abençoa aqueles que a possuem. Na sequência do texto citado, percebemos que os caminhos da sabedoria são agradáveis, todas as suas veredas são de paz, e ela é considerada uma árvore que dá vida a quem a abraça.

Em Provérbios 2.16, a Bíblia diz que é a sabedoria que nos livra da mulher imoral, das tentativas de sedução e do enlace daquilo que é imoral. É a sabedoria que nos convence e nos afasta da imoralidade. Em 1Pedro 3.7, está escrito que nós, maridos, devemos ser sábios no convívio com nossa esposa, honrando-as, reconhecendo-a como mais frágil. E o mais importante desse texto: quando não cuidamos devidamente daquilo que Deus nos confiou, até as nossas orações são interrompidas.

A sabedoria precede a honra. Quando agimos com sabedoria, honramos as pessoas. Quem honra obtém honra, e quem anda com sabedoria recebe o favor da sabedoria.

O pedido de Salomão não foi hedonista, egoísta, medíocre ou mediano, e sim um pedido sábio, honroso e responsável. Uma coisa é pedir, outra é pedir corretamente. Cada pedido nosso revela o nosso coração. Deus abençoou Salomão com aquilo que ele não pediu, pois seus pedidos revelaram um coração desprendido, um coração cheio de honra e desejo por sabedoria. Quando o nosso coração almeja coisas incorruptíveis, Deus nos presenteia ou acrescenta coisas corruptíveis. Quando o nosso valor está no céu, as coisas terrenas não nos roubam.

Precisamos pedir que o Senhor mude o nosso coração, as nossas motivações, mude as coisas de lugar.

> Se algum de vocês tem falta de sabedoria, peça-a a Deus, que a todos dá livremente, de boa vontade; e lhe será concedida (Tiago 1.5).

Quando Deus nos encontra de joelhos no chão, buscando sabedoria, com grande alegria ele nos dá. Quando o Senhor nos encontra cuidando daquilo que nos foi confiado, ele se alegra.

Uma coisa é gostar daquilo que o Senhor nos dá, outra é ele se alegrar com aquilo que pedimos. Deus se alegra quando pedimos sabedoria antes de pedir o que é necessário para suprir as nossas necessidades.

Podemos pedir tudo que precisamos ao Senhor; mas, quando pedimos sabedoria para governar aquilo que ele nos confiou, as demais coisas são acrescentadas aos que primeiro clamam para serem sábios.

“Deus está buscando homens que tenham o compromisso de cuidar bem daquilo que confiou a eles nesta terra.”

TELMO MARTINELLO

CONCLUSÃO

Como foi dito e frisado durante todo o livro, a posição do homem na família, igreja e sociedade é de grande importância e influência para o crescimento e desenvolvimento saudável dessas esferas. Além disso, seu lugar de honra e autoridade exige uma responsabilidade na mesma proporção.

Em nenhum momento, afirmo ser fácil assumir, desenvolver e fazer frutificar essa função, mas encorajo você, homem, a assumi-la; pois, se Deus o fez homem, lhe deu capacidade para isso. Se Deus desejasse que você e eu voássemos, nos dotaria de asas, mas ele nos dotou em todos os aspectos para ser homem: a estrutura física, a capacidade de governo, o instinto de proteção, os braços de limites e o olhar de destino.

Nessa nobre missão, teremos momentos de medo, solidão e muita pressão, mas nunca estaremos sozinhos. Quem nos chamou nos ama e nos acompanhará em todo tempo.

Temos uma nuvem de testemunhas, Boaz, Davi, José, Elias e outros homens de Deus que, mesmo tendo suas falhas e limites, decidiram ser homens que marcaram sua geração e deixaram um legado que até hoje nos abençoa.

Um livro não pode mudar um homem, mas pode ajudá-lo a compreender quem ele realmente é, quem o criou e com qual finalidade. Pode encorajá-lo a buscar a fonte de toda virtude, sabedoria, hombridade, virilidade e força, de modo que ele possa ser transformado!

Minha oração é que você não pare de crescer, estudar, se aperfeiçoar como marido, pai, filho, provedor, como homem!

E que seus filhos e os filhos dos filhos de seus filhos tenham em você um referencial de homem, no qual o legado no coração seja infinitamente maior do que a herança no bolso.

Que possamos sair da teoria e ser práticos: nossas palavras falam e nossas ações gritam.

Seja homem! É meu encorajamento e minha oração.

TELMO MARTINELLO

Esta obra foi composta em *Bembo Std*
e impressa por Gráfica Expressão e Arte sobre papel
Polen Natural 80g/m² para Editora Vida.